LOCUS

LOCUS

LOCUS

LOCUS

RECREATION

R66
化學花園 ***The Chemical Garden Trilogy 1: Wither***

作者：蘿倫・戴斯特法諾（Lauren Destefano）
譯者：謝雅文
責任編輯：翁淑靜
校對：陳錦輝
法律顧問：全理法律事務所董安丹律師
出版者：大塊文化出版股份有限公司
台北市10550南京東路四段25號11樓
www.locuspublishing.com

讀者服務專線：**0800-006689**
TEL：(02) 87123898　FAX：(02) 87123897
郵撥帳號：18955675　戶名：大塊文化出版股份有限公司

總經銷：大和書報圖書股份有限公司　地址：新北市新莊區五工五路2號
TEL：(02) 89902588　FAX：(02) 22901658
排版：洪素貞 製版：瑞豐實業股份有限公司
初版一刷：2015年8月

定價：新台幣280元
Printed in Taiwan

化學花園 / 蘿倫.戴斯特法諾(Lauren Destefano)著；謝雅文譯.
-- 初版. -- 臺北市：大塊文化, 2015.08
面；　公分. -- (R；66)(化學花園；1)
譯自：Wither
ISBN 978-986-213-622-5(平裝)

874.57　　104012864

化學花園

The Chemical Garden Trilogy 1

Wither

作者──蘿倫・戴斯特法諾 Lauren Destefano
譯者──謝雅文

世界就是這麼終結的。
不是砰然一響，
而是一聲啜泣。

——〈空心人〉[1]，T·S·艾略特[2]

1〈空心人〉（The Hollow Men），為詩人T·S·艾略特於一九二五年發表的詩作。

2 T·S·艾略特（T. S. Eliot，一八八八～一九六五），詩人、評論家、諾貝爾文學獎得主。

第一章

我靜候著。他們把我們囚禁在黑暗之中，日子久了連眼瞼在哪兒都感覺不到。我們像是老鼠蜷在一起睡覺、望眼欲穿、夢見身體左搖右晃。

我察覺其中一個女孩摸索著手碰到牆壁。她捶著牆，放聲尖叫——聽起來像是金屬的刮擦聲——但我們沒人幫她。我們太久沒開口講話，只是把自己更往黑暗裡埋。

門開了。

光線亮得嚇人。穿過分娩的運河即是光明世界，可是那眩目的隧道會立刻通向死亡。我和其他女孩驚恐地縮進毛毯，不想開始也不願結束。

我們硬是被他們趕鴨子上架，步履蹣跚地走出門，該怎麼用腿走路都忘了。到底過多久了？幾天？幾小時？遼闊的天空依舊待在老位子上。

我跟其他女孩排成一列，穿灰外套的男人不停地打量我們。

這事我聽說過。打從很久以前，我家鄉的女孩就會無故失蹤。她們從被窩或路邊人間蒸發。這事發生在我街坊鄰居的女兒身上。後來她全家人都不見了，搬走了，不是去找她，就是心裡有數她再也回不來了。

現在輪到我了。我知道女孩會憑空消失，可是後來什麼事都可能發生。我會不會被人殺了棄屍？被賣去當娼妓？這些事都不是新聞。要不就只剩最後一個選項。我會成為新娘。我在電視上看過一個瀕臨二十五歲生命大限的富豪，摟著那些年輕貌美但情非得已的小新娘。

其他女孩根本沒機會在電視螢幕上露臉。那些不符合標準的女孩會被運到紅燈區的妓院。人們發現有的女孩慘遭謀殺、陳屍路邊腐爛，呆滯的目光地直視灼烈的太陽，因為採花賊根本懶得處理她們。有些女孩永遠不知去向，她們的家人也只能在心裡猜想她們的下落。

被抓的女孩年僅十三，生理發育成熟足以懷孕生子；而我們這一代的女性在二十歲時，會被病毒入侵、感染而死。

他們打量女孩的臀部判斷體力，把我們的嘴唇扒開好讓男人從牙齒評判健康與否。有個女孩在吐。剛才尖叫的人可能就是她。她擦拭雙唇，嚇得直打哆嗦。我站得直挺挺的，一心只想不露鋒芒，讓人家挑不到半點用處。

我在這排雙眼半張的垂死女孩中顯得生氣蓬勃。我感覺她們的心跳有氣無力，反觀我的，卻生龍活虎地在胸口跳動。關在黑暗的卡車長途跋涉這麼久，我們早已合為一體。我們是一群沒有名字的生物，同住在這座詭異的煉獄。我不想鶴立雞群。我不想引人注目。

但默想這些都無濟於事。有人注意到我了。一個男人在我們這排女孩前踱步，他允許灰衣男驗貨似地隨意亂戳我們。他若有所思，又一副遂心如意的模樣。

他宛如兩個驚嘆號的綠色雙眸和我四目相交，然後綻露笑容，齒間閃現一道金光，意味著他家財萬貫。這太不尋常了，他年紀輕輕的怎麼可能齒搖脫落？他來回踱步，我低頭盯著自己的鞋。太蠢了！我說什麼都不該抬頭的。別人一眼就會發現我那異於常人的眼珠顏色。

他對灰衣男說了些什麼。一群男人朝我們這頭望，似乎已達成協議。鑲金牙的男人又朝我這頭賊笑，然後就坐上另一輛車；接著，駕駛倒車上路，掀起粒粒碎石，揚長而去。

嘔吐的女孩被帶回卡車，另外十來個女孩也跟著她走；灰衣男殿後上車。最後剩下三個女的，其他走了的女孩在我們之間留下空位。男人再次交頭接耳，接著對我們發號施令，「上路了。」他們一聲令下，我們聽話照辦。我們唯一的去路是一輛停在碎石路上敞開後座的禮車。我們不在大馬路上，但是離公路不遠。我能聽到遠處的車水馬龍，也能看見城市的燈光在紫色迷濛的遠方逐漸點亮。自己身在何方，我不得而知；如此荒涼的路與家鄉熱鬧的街相去十萬八千里。

上路了。另外兩個被選中的女孩走在我前頭，我是最後一個上禮車的。我們和駕駛之間隔了一面有色玻璃窗。就在某人關上車門前，我聽見其他女孩聚集的廂型車傳來了聲響。

那是第一聲槍響，我知道接下來還會連開十幾槍。

我從鋪著綢緞的床醒來，汗流浹背，感到反胃又心悸。我第一個有意識的動作是退到床邊，屈身把穢物吐在毛茸茸的紅色地毯上。我不斷吐痰作嘔的同時，已經有人開始拿抹布幫我清理殘局。

「每個人對催眠瓦斯的反應都不同。」他輕聲說道。

「催眠瓦斯？」我氣急敗壞地說。在我想拿白色蕾絲衣袖擦嘴前，他遞給我一條同樣也是毛茸茸的紅色餐巾。

「從禮車的通風孔出來的，這樣妳就記不得方向了。」他說。

我憶起分隔前後座的那面玻璃窗，它大概是密閉的。我依稀想起有風從四壁的通風口吹來。

「另一個女孩，」男孩邊說邊往我嘔吐的那塊污漬噴白色泡沫。「她暈頭轉向，差點從臥室的窗戶跳樓。但不用說也知道窗子上了鎖，是防碎的安全玻璃。」雖然他敘述的是一件慘事，嗓音卻很低沉，或許還帶有一絲同情。

我回望窗戶。它被關得密不通風。窗外的世界是鮮亮的綠地和晴朗的藍天，比我家的色彩更為歡快，因為媽媽的花園徒剩我無力重現生機的爛泥和凋零花木。

走廊上的某處傳來女人的尖叫。男孩一度繃緊神經，然後又繼續擦洗地上的泡沫。

「我來幫忙。」我對他說。前一秒我對糟蹋這裡的東西一點也不內疚；我很清楚會來這裡是身不由己。可是我也知道不該怪這個男孩。他不可能是抓我來這裡的灰衣採花賊。或許他來這裡也是被逼的吧。雖沒聽說過少男失蹤案件，但五十年前還沒發現病毒的時候，女孩子也沒人身安全的顧忌。所有人都安全無虞。

「不用，都清乾淨了。」他說。他把地毯移走時，上頭幾乎沒有污漬。他拉了一下牆壁的把手，一條滑道便現於眼前；他把地毯扔進滑道，任它溜下去，隨後滑道就關嚴了。他把那瓶白色泡沫塞回圍裙口袋，繼續原先未完的工作。他拾起剛才擱在地上的銀製托盤，端到我的床頭桌。「如果妳感覺好些了，可以吃點午餐。我保證食物裡沒放安眠藥。」他看起來似笑非笑，差點綻露笑容，但他保持目光專注，掀起兩個金屬蓋，映入眼簾的有一碗湯和一小碟蒸蔬菜和馬鈴薯泥，中間圈著一池滷汁。我被人擄走、下藥、關在這裡，可是他們卻送上美食讓我享用。我的心情差到極點，差點又要吐了。

「想從窗戶跳樓的那個女孩，後來怎麼了？」我問他。我不敢過問剛在走廊上尖叫的女人發生了什麼事。我不想知道有關她的事。

「她已經稍微平復了。」

「那另一個女孩呢？」

「她是今天早上醒來的。總督大概帶她去花園繞繞了。」

總督。我想起自身的絕望，往枕頭一倒。總督擁有許多房產。採花賊在大街小巷蟄伏，尋找理想的候選人來綁架，然後再賣給總督當新娘。好心一點的會把退貨賣去當妓女，不過我遇上的那夥人則把女孩趕進廂型車、全都開槍斃了。我被人下藥，在昏睡的夢中一再聽見那第一聲槍響。

「我來這裡多久了？」我問道。

「兩天。」男孩回答。他遞給我一個冒著熱氣的杯子。我正準備拒絕，卻看見懸在杯緣的茶包繩，聞到香料的氣息。是茶。我和哥哥羅恩每天早晚餐都會泡茶來喝。媽媽會一邊哼歌，一邊待在爐子旁等水沸騰。

我困倦無神地接過那杯茶，湊到面前聞著撲鼻的熱氣。只有這樣我才不會淚崩。男孩肯定察覺到這一切開始對我造成莫大的衝擊，他一定察覺到有什麼戲劇性的場面要上演了，好比說我要痛哭流涕，或像另一個女孩試圖跳窗，因為他已移往門口，頭也不回地靜靜留我一人獨自悲傷。不過我把臉埋進枕頭時，一滴眼淚也沒掉，只發出一聲原始、駭人的尖叫。我沒想到自己能發出這種叫聲。憤怒，遠超過我所想像。

第二章

男性的壽命大限是二十五歲，女性則跨不出二十大關。我們皆如浮雲朝露。

七十年前精良的科學創造出完美的嬰孩。癌症這個眾所皆知、可以影響身體任何器官、曾經奪走百萬條生命的疾病，已有了根治的良方。新生代的兒童由於免疫系統增強，就此告別過敏和季節性疾病，就連性傳染病也不再是問題。多虧這項先進的科技，人類不會再孕育出天生殘缺的嬰兒。一代設計完美的胚胎確保了健康優秀的人口。那個世代的人多半還活著，正優雅地步入老年。他們是無畏的第一代，幾乎等同長生不死。

沒人能料到如此強健的世代竟會帶來這麼慘烈的後果。第一代茁壯生長、至今不輟的同時，他們的孩子以及孩子的下一代卻開始發生病變。我們，也就是最新一代的人類，一出娘始就身強體壯，而且說不定比父母那一輩還要健康；但問題是，男性的壽命只有短短二十五年，女性更僅剩二十年。過去這五十年來，新生代不斷隕落，世界也陷入一片恐慌。採花賊的維生之道就是搜集新娘人選，把她們賣去當生子機器。透過這種聯姻關係生下的小孩都是實驗品，至少我哥是這麼說的，而且總是帶著嫌惡的口吻說。他一度想潛心研究扼殺人類的病毒，老愛拿沒人答得出來的問題煩爸媽。不過，父母撒手人寰後，他的遐想也隨之煙消雲散。我那左腦思維的哥哥，一度胸懷拯救世界的凌雲壯志，可是現在有此企圖的人卻全都淪為他的笑柄。

但女孩被擄走之後會發生什麼事，我倆都沒有確切答案。

不過，我現在似乎會找到答案。

我穿著一襲蕾絲睡袍，在臥室裡來回踱步好幾個鐘頭。臥室裡傢俱齊全，彷彿早已等候我的到來。可容人進出的大壁櫥塞滿了衣服，不過我在那裡的時間只夠找一扇通往閣樓的門；我爸媽的衣櫥有此暗門，只是我在這兒遍尋不著。又黑又亮的木製帶鏡衣櫃，與梳妝台和躺椅為同一系列；牆上掛著不知名的畫──有西山薄暮，也有海灘野餐。壁紙上的圖案是直立的藤蔓和含苞待放的玫瑰，而它們使我想起監獄囚室的欄杆。我避而不看自己在梳妝台鏡中的倒影，擔心看見自己在這裡時會精神錯亂。

我試著開窗，但事實證明這只是徒勞無功。我將風景盡收眼底。在一片黃的、粉的餘暉中，夕陽漸漸西沉；園裡萬紫千紅、爭妍鬥豔，還有幾座涓涓細流的噴水池。草地刈成一條條或深或淺的綠。靠近府邸處有道籬笆圍住一個附池子的區域，池水的天藍色很不自然。我想這就是我媽在園裡種百合花時，所夢寐以求的植物天堂吧。儘管種在荒涼的爛泥塵土中，花兒還是能健康生長、蓬勃茁壯。只有她還活著的時候，我們社區才能見到花團錦簇的景象。除了我媽種的花之外，城市裡花販賣的康乃馨無不憔悴，因應情人節被染成粉的、紅的，其他的紅玫瑰看起來總是橡膠般假假的，要不就擱在櫥窗裡乾枯。這些花一如人性，只是化學贗品，失去了原本的面貌。

帶午餐給我的男孩提到另一個女孩在逛花園，我想知道總督會不會大發慈悲，讓我們自由外出。我對總督所知甚少，只知道他們要嘛未滿二十五，要嘛年近七十——後者是第一代，堪稱稀世珍寶。如今，多數的第一代已目睹夠多的兒孫英年早逝，所以不願再拿另一代當實驗的白老鼠。他們甚至加入反抗聯盟，採取激烈的抗爭，造成無法挽回的傷害。

只要我下班沒回家，我的哥哥馬上就會知道事有蹊蹺。我已經失蹤三天了，現在他肯定急到情緒失控；關於那些隨時在大街小巷緩慢行駛的不祥灰色廂型車，他不是沒警告過我。但把我載走的不是那種廂型車，我完全沒料到會發生這種事。

獨自一人在這空蕩蕩的豪宅想起哥哥，使我不得不停止顧影自憐，因為這麼做有害無益。動腦想啊。總有什麼辦法逃走的。窗戶絕對開不了，衣櫥只能找到更多衣物。男孩扔髒抹布的通道只有幾吋寬。說不定等我贏得總督的歡心，就能獲取足夠的信任，獨自一人在花園裡逛。從我的窗子向外看，花園一望無際。但總有盡頭吧。搞不好我擠過籬笆或翻過柵欄，就能找到出口。又或許我能成為露臉新娘，透過電視轉播我趾高氣昂參加派對的畫面，然後也許我能逮著機會悄悄溜入人群。我在電視上看過許多情非得已的新娘，也總是納悶她們為什麼不逃。可能攝影機沒照到不讓她們脫逃的保全系統吧。

不過現在我擔心的是，我可能永遠也沒機會參加那種派對。據我所知，要花好幾年的時間才能贏得總督的信任。再過四年我年滿二十，到時就要翹辮子了。

我轉了一下門把，出乎意料的是門竟然沒鎖。房門嘎吱開啟，走廊映入眼簾。

不知哪兒有時鐘滴答作響。牆上有好幾道門，多半是上了嵌鎖關著的。我的房門也有嵌鎖，只不過它是開的。

我緩步輕踏，赤腳有個好處，因為踩在毛茸茸的綠色地毯上幾乎悄無聲息。我沿途經過那些房門，專注尋覓聲響，因為那是生命的象徵。不過唯一的聲音來自走廊盡頭微開的一扇門後。房裡傳來呻吟和喘息聲。

我立刻呆站原地。倘若總督正和其中一位妻子交歡，試圖讓她懷孕，而我這麼好死不死地闖進去，豈不壞了大事。我不曉得接下來會怎樣——他也許會將我處死，又或許會要我加入；兩者哪種下場較慘，我也無從得知。

不過，等等，這完全是女人的叫聲，而且房裡只有她一人。我戒慎恐懼地從門縫往裡望，然後把門推開。

「是誰？」女人輕聲咕噥，這一開口害她又是一陣猛咳。

我踏進房門，發現她獨自一人躺在綢緞床上。這間房的裝飾比我的更為講究，牆上掛著孩童的畫，敞開的窗前是一片巨浪翻騰般的窗簾。看樣子有人長期居住於此，臥房舒適，和監牢天差地別。

她的床頭桌上擱著藥丸、附滴管的藥水瓶，以及裝彩色液體但全空或將近全空的玻璃杯。她用手肘撐起上半身，盯著我瞧。她跟我一樣留著金髮，可是面黃肌瘦使得髮色也跟著黯淡。她眼神狂亂。「妳是誰？」

「萊茵。」我輕聲報上名來，因為心煩意亂當下只能誠實以對。

「多美的地方啊，妳看過照片了嗎？」她說。

她一定失心瘋了，因為她說的話我一個字也聽不懂。「沒。」我只能這麼回她。

「妳沒拿藥給我。」她說完便長嘆一聲，優雅地倒回她的枕頭海。

「對，我該拿什麼來嗎？」我說。可以確定的是她精神錯亂；假如我能找藉口脫身、溜回房間，說不定她就會忘了我來過這裡。

「別走！」她邊說邊輕拍床邊。「我受夠這些療程了。他們為什麼不能讓我死了算了？」

這就是我未來當新娘的生活嗎？被限制一切，就連尋死的自由都沒有？

我坐在她身旁，藥品和腐朽的氣味令人不知所措，不過細聞倒有一種宜人的香氣。是花香——芬芳的乾燥花瓣。這股帶著旋律的氣味無所不在，圍繞著我們，引我思鄉之愁。

「妳這個騙子，什麼藥都沒帶給我。」女人說。

「我又沒說要幫妳帶藥。」

「好呀，那妳到底是誰？」她伸出顫抖的手摸我頭髮。她握住一綹髮絲打量，然後雙眼流露出無限痛苦。「哦。妳是我的替代品。妳今年幾歲？」

「十六。」我再次嚇得誠實以對。替代品？她是總督的其中一位妻子嗎？

她盯著我瞧了好一會兒，痛苦便漸漸褪散，幻化成母性的光輝。「妳是不是討厭這裡？」她問道。

「是。」我說。

「那妳該去陽台逛逛。」她閉眼微笑，手一鬆，放開我的頭髮。她咳了幾聲，鮮血從口中飛濺至我的睡袍。我反覆做過這種惡夢，夢裡的我即將進入父母慘遭謀殺、倒臥血泊的房間，可是我一直站在門口，怕到腿根本跑不動。現在我感到類似的恐懼。我想要逃，上哪兒都好就是別待在這兒，無奈雙腿似乎不聽使喚、動彈不得。我只能眼睜睜地看她咳血掙扎，我的睡袍也愈來愈紅。我可以在雙手和臉上感覺到她的血的溫度。

這情況究竟持續多久，我也不清楚。最後有人跑了過來，那是第一代的年長婦女，她手裡端著一個濺出肥皂水的金屬盆。「哦，蘿絲夫人，人不舒服怎麼不按鈕呢？」端臉盆的女人說。

我連忙起身走向門口，但端臉盆的女人似乎壓根兒沒發現我。她攙扶咳血的女人在床上坐直身子，並脫下女人的睡袍，開始拿海綿沾肥皂水擦拭她的肌膚。

「水裡有摻藥，我聞到了。哪裡都有藥。讓我死了算了。」咳血的女人呻吟道。

看樣子她受盡折磨、吃盡苦頭，雖然我也是自身難保，卻還是對她寄予同情。

「妳在幹麼？」有人在我背後輕聲斥責。我轉身只見稍早幫我送午餐的男孩一臉神情緊張。「妳怎麼出來的？快回房裡去。走啊，動作快！」這是我惡夢中沒上演的場景：被人逼著行動。不過我對此心懷感激。我往敞開大門的臥房狂奔，不料途中撞上某個擋路的人。

我抬頭一看，認出把我摟在懷裡的男人。他的笑容閃爍著微微金光。

「喲，妳好。」他說。

我摸不透他笑容底下的含義，是心存善意還是笑裡藏刀。他過了一會兒才發現我臉上和睡袍的血漬，然後從我身邊擠過去，奔進女人仍舊咳嗽連連的臥室。

我跑進我的臥室，扯下睡袍，拿乾淨的部位擦拭自己身上的血漬，然後鑽進床上的被窩，雙手摀住耳朵，試圖阻絕那些可怕的聲音。阻絕這一整個可怕的地方。

這回喚醒我的，是門把的轉動聲。稍早幫我送午餐的男孩現在端著另一個銀製托盤。他沒有直視我的目光，只是逕自走進房裡，把托盤放在我的床頭桌上。

「晚餐。」他嚴肅地說。

蜷在被窩裡的我望著他，可是他並沒有回望我。就算從地上拾起濺了蘿絲夫人鮮血的睡袍、將它扔進滑道，他還是連頭也不抬一下。然後他轉身要走。

「等等，拜託你。」我說。

我不清楚是為了什麼？因為他年紀跟我相去不遠、行事非常低調，還是因為他待在這裡似乎也和我一樣身不由己……總之我希望有他作伴。就算是一、兩分鐘也好。

「那個女的……是誰啊？」我急著非得在他離開之前找話講。

「她是蘿絲夫人，總督的大老婆。」他說。每一位總督都有大老婆；老婆的順位是權力的象徵，跟結婚先後次序無關。所有的社交場合都是由大老婆出席，她們偕同總督公開露臉，而且顯然享有開窗的特權。最得寵幸的非她們莫屬。

「她怎麼了？」

「病毒。」他說。他轉身面向我時，流露出由衷的好奇表情。「妳沒見過別人被病毒感染？」

「沒有近距離接近過。」我說。

「連接近妳爸媽也沒有？」

「沒。」爸媽是第一代，生我哥跟我的時候已五十好幾，不過這種個人隱私或許還是保留較好，於是我輕描淡寫：「我盡量不去想病毒的事。」

「我也是。妳走了之後她有問起妳。妳叫萊茵？」他說。

他終於肯正眼瞧我了，於是我點了個頭。但我驚覺被窩裡的自己一絲不掛，趕忙將被子往身上裹緊。「你叫什麼名字？」

「蓋布利歐。」他說。在他臉上層層重量的掩飾下，似乎又浮現了笑容。我想問他在這個擁有美麗花園、澄澈藍水池、整齊蔥鬱樹籬的可怕地方做什麼。我想知道他是哪裡人，有沒有打算回家。我甚至還想跟他分享我的逃亡計畫——如果我能想出計畫的話。不過這些想法很危險。假如我哥在這兒，他會要我別輕信他人。他說的有道理。

「晚安，妳大概想吃點東西、睡會兒覺了。明天可是大日子。」名叫蓋布利歐的男孩說。他的語氣暗示我大難臨頭。

他轉身離去，我發現他走起路來一瘸一拐的，可是今天下午原本並無異樣。在他薄薄的白色制服下，我可以看見瘀傷的陰影正在成形。是我害的嗎？他是不是因為沒善盡職守，讓我溜到走廊而被懲罰？這些是其他我沒問的疑惑。

然後他走了。我聽見房門咔嚓一聲轉動上鎖。

第三章

早上喚醒我的不是蓋布利歐，而是一群女人。從白髮窺知她們屬於第一代，只不過雙眼依舊閃爍青春的活力。她們一邊七嘴八舌，一邊把被子從我身上掀開。

其中一個女人打量我的裸體，並說：「這個嘛，至少我們不用把衣服從這個女的身上扒下來了。」

這個女的。發生了這麼多事，我差點忘了還有另外兩個女的被困在豪宅的某處，深鎖在房門後。

我還來不及反應，其中兩個女人就抓住我的胳臂，把我拽往連接臥室的浴室。

「妳最好不要掙扎。」其中一人興高采烈地說。我步履蹣跚，跟上她們的腳步。另一個女人留下來幫我鋪床。

到了浴室，她們要我坐在覆上某種粉紅絨毛的馬桶蓋上。浴室是一片紅粉。窗簾薄如紙，不堪用。

以前在家裡，到了夜晚我們會拿粗麻布貼在窗上，營造窮苦人家的假象，如此一來剛失去雙親、尋找避風港和救濟品的孤兒也不會窺探靠近。我跟哥哥住的房子有三間臥室，可是我們會在地下室的吊床度過長夜、輪流睡覺，萬一門鎖擋不住外人入侵，就要用爸爸的獵槍捍衛安全。

窗上哪裡會擺裝飾性的漂亮玩意兒。至少我的家鄉不會。

這裡淨是繽紛的五顏六色。有個女人忙著放洗澡水，另一個打開櫥櫃，放眼望去裡面都是心型和星星形狀的七彩小香皂。她朝洗澡水裡扔了幾顆，香皂便嘶嘶作響地溶解，在水面留下一層粉色和藍色的泡沫。泡泡像是小型煙火般啪啪爆裂。

她們要我進浴缸，我也沒爭辯什麼。雖然在陌生人面前赤身裸體挺尷尬的，但這池水無論在視覺或嗅覺上都很吸引人。跟我和哥哥以前同住的家，從鏽蝕水管流出的渾濁黃水截然不同。

以前同住。過去式。我怎能允許自己這麼悲觀？

我躺在氣味香甜的水中，泡泡一彈到我的肌膚就啪地爆開，使我嚐到肉桂、乾燥花，和想像中真的玫瑰聞起來的氣味。不過這些小玩意兒所帶來的驚奇是不會把我迷倒的。我偏要想起我和哥哥同住的家，媽媽就是在新舊世紀交替的年代在那裡出生。早已枯萎的常春藤，輪廓依舊印在房子的磚牆上。有逃生通道，但太平梯壞了；街上的房子全都緊鄰彼此，小時候我會把雙臂伸出臥室窗外，和住在隔壁的小女孩牽手。我們會拿紙杯穿線當話筒傳聲，邊聊邊竊笑。

那個女孩很小就失去雙親。她的父母是新一代。她幾乎對媽媽沒什麼印象，爸爸又臥病在床，後來某天早上我想找她，但她已經不見了。

我悲傷不已。那個女孩是我第一個真正的朋友。有時候我仍會想起她那雙明亮的碧眼，還有她朝我臥室窗口扔薄荷糖，叫我起床玩紙杯傳聲的遊戲。她消失之後，我媽握著我們拿來玩話筒遊戲的線，說那是條風箏線，她小時候會在公園裡放風箏，一放就是好幾小時。我要她多說點童年回憶，於是她在幾個夜裡向我娓娓道來。回憶裡有聳入雲霄的玩具店和結冰的湖，她會在湖面天鵝般地溜8字形花式；當年房子還是爬滿常春藤的新屋，人們從這扇窗的下方走過；還有一排排閃亮亮整齊停放在紐約曼哈頓街邊的車子。

她跟我爸死後，我和哥哥就拿裝馬鈴薯跟咖啡豆的粗麻布袋貼在窗上。我們把媽媽所有漂亮的東西和爸爸貴重的衣物塞進皮箱上鎖，其餘的則趁深夜埋在院子裡病懨懨的百合花底下。

這是我的故事。這些是我的過去，我絕不容許它們被抹滅。總有一天我會再把過去要回來。

「她的頭髮好柔順哦。」其中一個女人邊說邊舀起一杯杯溫熱的泡沫水淋在我頭上。

「髮色也好漂亮，不曉得是不是天生的。」當然是天生的。不然咧？

「我敢說總督一定是看上她這點。」

「讓我瞧瞧。」另一個女人語畢就捧著我的下巴左側右歪，端詳我的臉蛋，然後倒抽一口氣，手貼在胸口不停地拍動。「哦，海倫啊，妳看這個女孩的眼睛！」

她們為了看我，都暫停幫我沐浴的工作。這是她們頭一回認真注視我。我的雙眼通常是人們第一個注意的部位，我跟哥哥一樣左眼藍色、右眼褐色——虹膜異色症；我的父母是遺傳學家，他們為我的症狀如此命名。要是年紀再大一點，或許我就會多問他們一些相關問題，只可惜我沒這個機會。我總是覺得虹膜異色症是種沒用的基因缺陷，但倘若女人所言屬實，吸引總督目光的真是我的雙眸，那麼虹膜異色症救了我一命。

「妳覺得她眼珠是真的嗎？」其中一個女人問道。

「不是真的是什麼？」這回我高聲回嘴，她們先是一驚，隨後又樂不可支。原來她們的洋娃娃會說話。於是一籮筐的問題傾洩而出。我是哪裡人、知不知道這裡是哪兒、愛不愛這裡的風景、喜不喜歡騎馬——這裡有間很棒的馬廄、我喜歡把頭髮盤起來還是放下？

這些問題我一律拒絕作答。無論她們立意有多良善，我跟這些陌生人都沒啥好說的，誰教她們屬於這個地方。反正問題連珠砲似地又快又猛，我也不知從何答起，接著又聽見一陣輕柔的敲門聲。

「我們正準備帶她去見總督。」其中一個女人說。

門外朦朧的人聲輕柔而稚氣。「蘿絲夫人現在就要跟她說話。麻煩妳們了。」

「我們才幫她洗澡洗到一半！況且她的指甲……」

「不好意思，不管她現在狀況如何，我都得遵照口諭帶她走。」門外的人耐著性子說。

顯然蘿絲夫人位高權重，凡事她說了算，因為女人們把我拉起身、拿粉紅浴巾擦乾我的身體、梳理我的一頭濕髮、幫我套上貼著肌膚宛如絲綢波浪的浴袍。無論洗澡水裡摻了什麼，都使我的神經細胞更加敏感，讓我感覺全身被扒光、毫無遮蔽。

門一打開，我發現聲音的主人是個小女孩，身高僅有我的一半。不過她的穿著打扮超齡，穿著跟蓋布利歐同款短衫的女生版，下半身是黑色蛋糕裙，反觀蓋布利歐則是著黑長褲。她的頭髮綁成辮子盤在腦後，當她對我綻露笑顏，兩頰像是小蘋果般鼓起。「妳就是萊茵？」

我點點頭。「我叫狄德麗。」她邊說邊牽起我的手，觸感冰涼柔軟。「往這頭走。」她說著便領我走出臥房，在走廊上沿著我昨天短暫逃亡的路線前進。

「聽好了。」女孩嚴肅地點了個頭，兩眼直視前方。「夫人跟妳講話，妳才能開口；她不喜歡別人發問，所以妳最好啥都別問；要尊稱她為蘿絲夫人；她床頭桌上有顆按鈕，白色的，萬一她不舒服就立刻按下按鈕。這裡她是老大。就算她想要天上的星星，總督都會為她摘下來，所以妳要想辦法討她歡心。」

我們走到門前，狄德麗重新把我的浴袍腰帶綁成一個漂亮的蝴蝶結。她敲了敲半開的房門，並說：「蘿絲夫人，我照您的吩咐把她帶來了。」

「那還不讓她進來，妳退下到別處去幹活吧。」蘿絲厲聲說道。

狄德麗轉身離去的同時，雙手緊扣我的一隻手，她的雙眸好似圓月。「還要拜託妳，盡量別提死這個話題。」她低語道。

她走了之後，我把門推開，但只敢踏進門檻。從我這頭就能聞到蘿絲昨天抱怨的藥味，也在她的床頭桌看見琳瑯滿目的藥水、藥丸，和瓶瓶罐罐。

今天她在窗畔的綢緞沙發床上坐直身子。陽光下她一頭金髮糾結，不過氣色顯得稍好一些。她的雙頰有了光采，起初我以為她病情好轉，不過等她招手要我靠近，我才發現她臉頰那不尋常、幾近霓虹粉的色彩，這才知道那肯定是化妝品，也猜到她的紅唇也不是真的。唯一真的，是她那褐到不可思議、以熱切和朝氣盯著我瞧的雙眸。我試著想像自然人類生活的那個世界；在那裡，二十歲曾經是花樣年華，距離死刑還遠得很。

我媽說以前自然的人類至少可以活到八十歲，有時還能到百來歲。不過我都當她鬼扯。如今我明白她的意思了。蘿絲是我長久以來第一個交談過、年紀超過二十歲的對象，縱使她強忍咳嗽，免得血濺雙掌，她的肌膚依舊光滑柔嫩，臉龐仍然充滿光采。她看上去跟我沒啥不同，年紀也沒大我多少。

「坐。」她對我說。我在她對面找了張椅子坐下。

她周圍的地上撒的淨是包裝紙，她的沙發床上還有個裝滿糖果的碗。她一開口說話，我就看見她的舌頭呈寶藍色。她用纖纖玉指把玩著另一顆糖果，將它拿到面前，像要給它一吻。但她還是鬆手讓糖果落回碗中。

「妳是哪裡人？」她問我。先前她對狄德麗的牢騷口吻已不復存在。她濃濃的睫毛往上眨了幾下，她望著一隻昆蟲在身旁繞了幾下然後消失。

我不想把來歷告訴她。雖然理應正襟危坐、彬彬有禮，但我就是做不到。被人硬逼我坐著、眼睜睜地看著她死，然後就能把我獻給她丈夫、被迫懷上我完全不想要的小孩，這樣要我怎麼正襟危坐、彬彬有禮？

於是我反問她：「妳是從哪兒被人抓來的？」

照理說我不能發問，而且我一提問便立刻發現自己踩到地雷了。她會放聲尖叫，呼喚狄德麗或她丈夫、也就是總督，要他們把我帶走。在未來的四年把我關在地牢。

出人意料的是，她很淡定地說：「我是在這個州出生的。事實上這個鎮就是我的家鄉。」她伸手往背後一搆，從牆上取下一張照片，然後往外伸要我看。我屈身看個仔細。

照片裡的年輕女孩站在一匹馬的旁邊，她手拿韁繩，笑容無比燦爛，整張臉最醒目的就是一口皓齒。她樂得幾乎雙眼全閉。有個比她高出很多的男孩，手放後背後站在她身邊。他的笑容比較壓抑、靦腆，彷彿不是刻意要笑，只是當下忍不住笑意。

「這是我。」蘿絲指的是照片中的女孩。然後她用手指掠過男孩的輪廓。「這是我的林登。」她似乎一度迷失在他的影像中，上了唇彩的嘴浮現一絲笑意。「我們是青梅竹馬。」

我不曉得該怎麼接話。她陷在回憶中渾然忘我，對禁錮此地的我視若無睹。但我還是為她感到遺憾，倘若換了一個時代，換了一種情況，她就不用被人取代。

「妳瞧，這是在香橙園拍的。我爸在佛羅里達擁有好幾英畝的果園。」她依舊指著照片說。

佛羅里達。我心一沉。我人在佛羅里達，在東岸的最南端，離家千萬里，距離數也數不清。我好想印著常春藤輪廓的家，好想那遙遠的通勤火車。我該怎麼回去重拾舊夢？

「它們好可愛。」我指的是那些柳橙。我說的是實話，它們確實很可愛。只要在這塊土地上，生物彷彿都能繁茂生長。我怎麼也想不到果園裡那個生氣蓬勃、站在馬兒旁邊的女孩，如今竟然行將就木。

「可不是嗎？不過林登比較喜歡花。每逢春天就會舉辦香橙花節，那是他的最愛。到了冬天則有雪祭和冬至之舞，但這些節慶太吵了，他不愛。」她說。

她拆開一顆綠色糖果，塞進嘴裡，然後暫閉雙眼，顯然在享受糖的滋味。每顆糖果顏色各異，這顆綠的捎來薄荷糖的氣息，把我帶回童年過往。我想起會扔糖果到我臥室的女孩，我拿紙杯和她話筒傳聲時，薄荷糖味會如何在杯中瀰漫。

蘿絲再度開口，舌頭染上糖果的翠綠色。「不過，他舞跳得可好了，我不曉得他幹麼要當壁花。」

她把照片擱在鋪滿包裝紙海的沙發床上。這個女人教我捉摸不定，她既疲憊又愁腸百結，對狄德麗惡言相向，卻待我有如朋友。此刻好奇心減輕了我的痛苦。我想，在這裡充滿美麗事物的奇妙世界，始終還是有點人性。

「妳知道林登今年幾歲嗎？」她問我。我搖搖頭。「他二十一歲，我們從小就私訂終生。他大概以為這些藥能再讓我活個四年吧。他爸是個德高望眾的名醫——第一代的。他一直努力不懈地尋找解藥。」說到最後這幾個字，她顯得有點天馬行空，手指還在半空中顫動。她覺得沒有解藥這回事。不過許多人懷抱著希望。拿我的家鄉來說，成群剛失去雙親的孤兒想要擠進實驗室，不惜搶著當白老鼠，就為了多賺幾個錢。無奈解藥一直沒來，人類基因庫的完善分析最後只是證明沒有異常現象能解釋這個致命病毒。

「可是妳，十六歲剛剛好。你們可以共度餘生，這樣他就不用孤伶伶一個人了。」蘿絲說。

我頓覺室內變冷，屋外那一望無際的花園裡的蟲鳴鳥叫，彷彿離我千里之遙。我有那麼一秒差點忘了自己置身此地，忘了自己怎麼來的。這個美麗的地方一如乳白色的歐洲夾竹桃那般危險。花團錦簇的園子只為了把我囚禁屋內。

林登偷民女納為新娘，好讓自己不用孤單死去。那我哥怎麼辦？他不也一個人孤單地待在空蕩蕩的家嗎？那其他廂型車裡被射殺的女孩呢？

我的怒火又上來了。我緊握拳頭，但願有人把我從這房裡帶走，即使這意味著要把我關在府邸的別處也行。我不願再看見蘿絲，多一秒都不行。可以敞開窗戶的蘿絲，騎馬在香橙園遠處馳騁的蘿絲，打算一離開人世就把她的死刑過繼給我。

更慘的是，我的願望成真了。狄德麗竟然回來傳話：「蘿絲夫人，打擾了，醫生來要幫她打理，準備覲見總督了。」

我又被領到走廊，進入需要鑰匙卡才能啟動的電梯。站在我身旁的狄德麗顯得憂愁緊繃。「今晚妳會見到沃恩戶長。」她低聲道。她臉上毫無血色，看我的眼神使我想起她只是個孩子。她噘起嘴唇——這代替什麼？同情？恐懼？我不曉得，因為此時電梯門開了，她重新振作，領我走向另一條更暗的、有消毒藥水味的走廊，然後走進另一扇門。

不曉得這次她有沒有什麼忠告要給我，但她還沒來得及開口，一個男人便說：「這個是誰？」

「先生，她是萊茵，十六歲的。」狄德麗回話，但連眼睛都不敢抬。

我一度納悶，不知這個男人究竟是戶長、還是我未來的總督丈夫，不過我連看他一眼的機會都沒有，胳臂就感到一陣刺痛。時間只夠我消化眼前看到的事物：一張鋪了床單的床，以及用來綁手和腳的束帶。

和屋裡其他擺設保持同一風格的房間，充斥著微光閃爍的蝴蝶。牠們全都在顫抖，然後像是奇妙的沐浴泡泡爆開，血濺四處。最後是一片黑暗。

第四章

輪到我守夜了。我們鎖了門窗，把自己關在地下室過夜。小冰箱在角落嗡嗡作響；時鐘滴答滴答；燈泡懸在電線上擺蕩，使燈光飄忽不定。我好像聽見老鼠在陰暗處搜尋麵包屑的聲音。

羅恩在吊床上打鼾，這可真夠怪的，因為平時睡覺他從不出聲。但我不介意，聽見人聲、知道自己並不孤單也挺好的。只要一有什麼風吹草動，他馬上就會醒來。身為雙胞胎，我跟他合作無間。他肌肉發達，槍法百發百中；反觀我個頭雖小，卻動如脫兔，有時比他更為機敏。

我們只在我十三歲那年，遇過一個抄傢伙的賊上門。小偷一般都是身材瘦小的孩子，他們破窗而入或試圖撬鎖，發現沒東西可吃或沒啥值錢的好偷就會離開。他們是害蟲，是我的話，就給點吃的，好把他們打發走，反正我們飲食無缺。可是羅恩不准。他說幫一個就會引來一窩，我們又不是什麼該死的大地主。他說那是孤兒院的責任，要不然實驗室那些人是坐領乾薪嗎？第一代的人也該有所作為，畢竟這是他們造的孽。

抄傢伙的賊是個男人，塊頭有我兩倍大，看樣子至少有二十歲。他設法不發半點聲響就撬開我家大門的鎖，而且很快就發現這間小屋的住戶正躲在某處看守值錢的東西。那個小時輪到羅恩守夜，可是他幹了一整天的粗活，累得睡著了。只要有工作，無論在哪裡、什麼時段，他都願意接；工作總是辛苦，整天下來他老是累得不成人形。很久以前，美國工廠的粗活都外包給其他工業化國家，如今因為沒有進口，紐約的摩天大樓大多改為工廠，生產的東西從冷凍食品到薄金屬板無所不包。我通常可以找到靠電話處理批發訂單的職務；羅恩輕而易舉就能找到船務貨運的工作，粗活很勞累，只是他不願承認。好處是資方向來都是付現，我們添購的食物也一直綽綽有餘。商店老闆遇到肯付帳的顧客——相較於身無分文、老是想偷民生必需品的孤兒——無不心懷感激，會額外送我們電氣絕緣膠帶和阿斯匹靈。

於是我們都睡著了。一把利刃抵著喉頭把我嚇醒，睜開眼只見一個陌生男子的雙眸。我發出連啜泣都談不上的微聲，但這就足以使我哥猛然恢復意識，舉槍準備射擊。

我無能為力、不敢動彈。小賊我能應付，而且只要情況沒失控，偷兒多半不想置人於死。他們只是想嚇唬你一下，希望能弄到什麼吃的或珠寶；假如他們塊頭比你小，你動手抓他們時，他們只會轉身就逃。這種人只是想方設法要活命罷了。

「你敢開槍我就給她一刀。」男人說。

這時發出一聲巨響，像是有次家中水管爆裂，然後我看見一條鮮血流過男人的額頭。我愣了一下才發現他的前額有個血紅的彈孔，接著架在我脖子上的利刃也鬆掉了。我一把抓住利刃，將他踹開。不過他已經掛了。我瞪大眼，氣喘吁吁。只見羅恩已起身，檢查男人是否真的死了，不想在沒必要的情況下多浪費一顆子彈。「真要命，我睡著了。媽的！」他邊說邊踹男人。

「你累壞了，沒事了。要是我們分他一點吃的，他早就走了。」我安慰他。

「別傻了。」羅恩邊說邊刻意舉起死者的一條胳臂。我這時才發現男人穿的灰外套。再清楚不過了，這正是採花賊在值勤的標幟。「他想要的是……」羅恩雖然開口，卻沒辦法大聲將心裡的話說完。這是我生平第一次看見他發抖。

在那晚之前，我以為採花賊都是在街上把年輕女孩擄走。這是事實沒錯，但也有例外。他們有辦法監視女孩，跟蹤她回家，然後伺機而動。前提是他們覺得她值得這麼大費周張，可以賣個好價錢。剛才就是這麼回事，男人就是為了這個才擅闖我家。現在除非有他當護花使者，否則我哥絕不讓我踏出家門半步。他擔心到走路頻頻回頭凝視我們經過的小巷。我們加裝門栓，用風箏線和空鋁罐把廚房地板排成一座迷宮，這樣只要有人擅闖，在冀望攻入地下室前就會發出巨響，提醒我們保持警戒。

我又聽見別的聲音了，是我最初以為另一隻老鼠在樓上亂跑的聲音。牠肯定很小，才能在我們設的陷阱間兜呀轉的。可是接著地下室的門就在樓梯頂端咯咯作響。門栓一個一個彈開。

我背後的羅恩不再打鼾。我輕聲呼喚他的名字，說好像有人闖進家門。他沒吭聲。我一轉頭，這才發現吊床空了。

地下室樓梯頂端的門旋被開啟，但映入眼簾的不是漆黑一片的家，而是陽光，以及我見過最令人驚豔的花園。我來不及將美景盡收眼底，門就在我面前關上。那是灰色廂型車的車門，載滿了驚慌失措的女孩。

「羅恩。」我倒抽一口氣，馬上坐直身子。

醒了。醒了之後，我試著安慰自己；無奈現實也無法給我一個安全的避風港。我還是困在這棟佛羅里達的豪宅中，還是得當總督的新娘；我聽見蘿絲在走廊的彼端苟延殘喘，還有其他人在旁試圖安撫。

我在綢緞床單上伸展身子，兩腿和臀部隨之發疼。我掀開被子，打量自己。我穿了件純白的連身襯裙；身上的汗毛被除光了，皮膚感到刺痛；指甲修剪並塗了指甲油。我已回到自己的臥室，那個窗戶打不開、浴室粉到幾近發光的臥室。

就像下了指令，房門在這時開啟，我不知會發生什麼事。挨打的蓋布利歐一瘸一拐走進來送飯給我；成群的第一代湧入，為我去角質、弄頭髮、噴香水；一位醫生手拿針筒，另一位推著可怕的桌子，這回是帶輪子的。其實進來的是狄德麗，她纖細的手臂捧著看似沉重的白色包裹。

「哈囉，妳還好嗎？」她向我打招呼，只有小孩才發得出她這般輕柔的語氣。

我知道一開口肯定說不出好話，索性沉默以對。

她輕快地走到臥室另一頭，只見她身上穿的不是平常的制服，而是一件輕薄的白色洋裝。

「我帶禮服來了。」她邊說邊把包裹置於梳妝台，並拆開捆住包裹的蝴蝶結。禮服比她還要高，她將它高舉，鑲著鑽石和珍珠的裙襬便奢華地拖在地上，閃閃發光。

「大小應該很合，他們趁妳昏睡時量過尺寸，後來我又修了一下確定合身。妳試穿看看。」狄德麗說。

我最不願做的，就是試穿不用猜也知道是我婚紗的衣物，只為了覲見綁架案的幕後主謀林登總督，以及光是名字就讓狄德麗在電梯裡臉色發白的沃恩戶長。可是她高舉禮服，一臉無辜又惹人憐，我實在不忍刁難她，只好套上禮服，讓她為我拉上拉鍊。

狄德麗站在梳妝台前的躺椅上為我繫項鍊。她靈巧的小手打出漂亮的蝴蝶結，禮服也完美合身。「這是妳做的？」我直接問她，毫不掩飾我的驚奇。她的蘋果臉渲染開一抹紅暈，她點點頭步下躺椅。

「鑽石跟珍珠縫起來最耗時，其他的易如反掌。」她說。

這件禮服沒有肩帶，上半部在我的鎖骨部位剪裁宛如心型，裙襬呈V字形。我猜如果從高處向下鳥瞰，我步上紅毯時會像是一顆白色的綢緞愛心。起碼我想像不到在走向終生監禁命運的途中，還有什麼比它穿起來更可愛了。

「三件婚紗都是妳做的？」我問她。

狄德麗邊搖頭邊領我往躺椅上坐。「我只做妳的，妳是我的主子，我是妳的貼身佣人。其他妻子另有各自的僕役。」她說。

她打開梳妝台的抽屜，裡頭裝滿了化妝品和髮夾。她腮紅刷在手，指向我床頭桌正上方的牆上按鈕。「需要什麼就按白色那顆，這樣就能通知我；藍色那顆是聯絡廚房。」

她開始把我的臉當調色盤，混著不同的顏色往我皮膚上刷，再把我下巴抬高仔細端詳。她雙眼嚴肅、瞪得老大。等到滿意之後，開始打理我的頭髮，梳完了再上髮捲，同時絮絮叨叨地說些她覺得對我有用的資訊。

「婚禮會在玫瑰園舉行，依照年紀大小入場，最年輕的先出場，所以在妳前後各有一位新娘。不用說也知道要交換婚誓，但妳不用發言，因為會有專人為妳朗讀。接下來就是交換婚戒，之後還有……」

她的嗓音愈來愈小，沉入描述細節的大海：浮水蠟燭、晚宴安排；就連我講話的聲音要多輕柔，她都描繪得鉅細靡遺。

但她說的話全都糊成可怕的一團。今晚就要舉行婚禮了。今晚。在這之前我根本沒有逃跑的希望，甚至連開一扇窗的機會都沒有，連看看這悲慘境地的外頭也無法得償所願。我感到作嘔，喘不過氣。只求能開窗，不是為了逃跑，只求一口新鮮空氣，讓我把心靜下來。我張嘴深呼吸，狄德麗趁機將一顆紅色糖果放入我口中。

「這能使你口氣清新。」她說。糖果即刻溶解，草莓風味以及過多的糖分瞬間將我包園。起初味道濃得受不了，後來漸漸散去、口味自然，甚至在某種程度上撫平我的焦慮。

「大功告成。」狄德麗沾沾自喜地說。她輕推我一下，我這才第一次面對鏡子。

自己的倒影令我大吃一驚。

我的眼瞼被塗成粉色，但不像這間浴室的粉紅令人不快，而是介於落日餘暉的紅與黃，宛若滿天的小星星閃閃發光，然後褪成淡紫和糖霜白。另外我還上了同色系的唇彩，全身的肌膚也微光閃爍。

這是我生平第一次脫去稚氣。我看起來就像我媽穿上晚禮服，那些夜裡她會趁我和我哥就寢後，與我爸在客廳跳舞。後來她會走進我的臥室，以為我睡著了而給我一吻。她捎來汗水和香水味，整個人欣喜若狂，散發對我爸的愛意。「十根手指，十根腳趾，寶貝女兒安然入夢。」她會在我耳畔低語，讓我有種著了魔的感覺。

我媽會對鏡中這個幾乎成為女人的女孩說些什麼呢？

我見了自個兒的倒影則是啞口無言。狄德麗對色彩的掌握出神入化，使我的藍眼珠更加明亮，褐眼珠幾乎如蘿絲凝視的目光那般熾烈。在她的精心打扮和揮灑色彩下，我恰如其分地扮演自己的角色：即將成為林登總督的悲劇新娘。

她的匠心獨具不言可喻，不過在鏡中我可以看見狄德麗在她的背後絞擰雙手，等著聽我評論她的功力。「美極了。」是我僅能說出口的三個字。

「我爸以前是畫家。他對我傾囊相授，但我不曉得自己能承襲他的幾分功力。他說萬物皆能成為畫布，妳現在大概就是我的畫布。」她略帶驕傲的口吻說。

關於父母的事她不再多提，我也沒有多問。

有好一會兒，她繼續妝點我的頭髮。現已圈成小捲、用簡單的白頭巾固定在後腦杓。狄德麗就這麼東增西減，直到她的手錶嗶嗶作響。接著她幫我套上難走的高跟鞋，拉起我婚紗的裙襬，一同穿過走廊。我們搭電梯下樓，在一條條宛若迷宮的走廊上迂迴穿行，正當我開始懷疑府邸永無盡頭時，一扇宏偉的木門映入眼簾。狄德麗搶先一步，微開大門，朝裡面探頭探腦，像在跟誰交談似的。

狄德麗往後退，門裡有個小男孩往外凝視我。他個頭跟她一樣小，不然也相去不遠。他眼神掃過我全身，把我從頭到腳打量一番。「我喜歡。」他說。

「阿戴爾，謝啦，我也喜歡你的設計。快開始了嗎？」狄德麗說。她稚嫩的嗓音聽起來如此專業。

「全都準備好了。看一下愛兒的情況。」

狄德麗和他一塊兒在門後消失。接著吱吱喳喳傳來更多人聲，等大門開啟，另一個小女孩目不轉睛地望著我。她有雙大大的碧綠眼眸；只見她興奮地鼓掌。「哦，好漂亮哦！」她尖叫道，然後消失身影。

當大門再度開啟，狄德麗牽起我的手，領我走進看起來像是縫紉間的地方。這裡狹小無窗，雜亂無章地塞滿一匹匹布料和許多縫紉機；舉目所及，緞帶要不是從架上垂下，就是散落桌面。「其他新娘已準備就緒。」狄德麗說。她環顧四周，確定沒有別人能聽見，然後對我竊竊私語：「不過我覺得最美的是妳。」

另外兩位新娘都是一身白，面對面地站在縫紉間的兩角，任各自的貼身佣人無微不至地照料。小男孩阿戴爾正為黑髮柳腰的新娘拉挺緊身馬甲，新娘子則是無精打采地望著自己肩膀，似乎任人戳捅也不在意。

那個我猜叫愛兒的小女孩正在為一個體重絕對不會超過四十五公斤的新娘調整頭上的珍珠髮夾。這位新娘的紅髮盤成蜂窩頭，只要動一下身子，她的白禮服就會微微閃爍虹彩。她的緊身馬甲在背部有對巨大透明的蝴蝶翅膀，彷彿有光輝從翅膀滲出；不過我發現那只是幻覺，因為光輝沒有一滴碰到地面。但馬甲對她的胸部來說顯得過小，所以新娘子很不自在，在馬甲內蠕動身軀。

就算踮起腳尖，紅髮姑娘也高不過我肩膀；她顯然根本不到結婚年齡。柳腰女孩一臉愁苦，而我則是非常勉為其難。

但我們都是新娘。

貼著我肌膚的禮服如此舒適，狄德麗也相當引以為傲；如今我站在這裡，猜想會有這麼多衣物，大概都是為我的餘生量身打造。如今我腦袋裡的念頭就是逃跑。通風管？還是沒上鎖的門？

當然我也忘不了我的孿生哥哥羅恩。少了彼此，我們只成半個人。光是想起他夜裡獨守地下室，我就幾乎無法承受。他會不會到紅燈區的妓院搜尋我的面孔？他會不會開公司的貨運卡車，在路邊尋找我的屍體？但我確定他再怎麼努力，搜再多地方，也找不著離紐約千萬里，被香橙園、馬兒和花園包圍的這棟府邸。

所以該由我去找他。我呆呆地注視通風管，從不可能的地方找解答。

貼身佣人們召喚每位新娘到房間中央，這是我們第一次有機會把彼此看個仔細。受困在廂型車時光線太暗，等到被當作貨品讓人評頭論足時，又嚇得只敢眼睛直視前方，最後上了禮車吸入催眠瓦斯，導致我們還是形同陌路。

紅髮的小新娘正嘶聲對愛兒抱怨，說她的馬甲勒得太緊，要是她連呼吸都有問題，在婚禮上——她還補充說明：那是她一生最重要的時刻——又怎能端莊地靜如處子？

站在我身旁的柳腰女孩悶不吭聲、動也不動，任阿戴爾站在摺梯上拿假百合花點綴她的辮子。

有人敲了一下房門，我不知接下來會怎麼樣。也許是第四位新娘，又或許是採花賊要進來射殺所有人。但進門的原來是蓋布利歐，他手裡抱了個大圓柱筒，詢問貼身佣人新娘是否準備就緒，卻完全不看我們一眼。愛兒說我們準備好了，他便把圓柱筒擱在地上，伴隨著機械的運轉聲，它展成一條長長的紅毯，延伸至走廊。蓋布利歐則消失在暗影中。

陌生的樂曲似乎從天花板瓷磚開始流洩。貼身佣人將我們從最年幼至最年長排成一列，我們也開始邁步。我們困在廂型車多日又被下藥，失去意識任人拖來這裡，而且未經排練但步伐卻相當一致，這真的很神奇。再過一會兒我們就要成為姊妹妻了。我在新聞上見過這個名詞，卻不曉得它的意涵。我不知道這些女孩是敵是友，今天過後是否能和她們共存。

我前面的紅髮小新娘好像是用跳的，她的翅膀跟著拍動彈跳，身子四周微光閃爍。要是我在狀況外，肯定會以為她為婚事欣喜若狂。

紅毯穿過一扇敞開的門，通往戶外。這就是狄德麗口中的玫瑰園，再明顯不過的是，那些玫瑰叢在我們四周形成一堵堵高牆。它們其實是走廊的延伸，儘管頭頂是開闊的天空，我卻感覺跟在室內一樣拘束。

薄暮的天空繁星點點，我心不在焉，想到要是在老家，作夢也無法在這個時候外出。大門會上栓，廚房會擺放發聲陷阱。我跟羅恩會靜靜地享用晚餐，餐後飲茶，接著收看晚間新聞，看有什麼工作開放職缺，同時了解世界的最新態勢，抱著縹緲的希望，但願有朝一日局勢好轉。打從四年前舊實驗室爆炸之後，我就一直希冀能再蓋一座新的，如此一來便能創造支持科學的研究成果，進而發現解藥；無奈孤兒占據實驗室的廢墟、自立家園。人們放棄希望、聽天由命。新聞內容空洞，只有播放職缺看板，放送富裕階級——總督和他們哀傷妻子——的豪奢盛宴。這大概是種鼓勵性質的傳播，給人們一種世界尚未終結的假象。

我還沒機會體驗即將到來的鄉愁，就被推入玫瑰叢走道盡頭的空地，被迫與其他新娘站成一個半圓。

突然躍於眼前的空地如張開的裂口且輪廓分明。花園一下子變得無比寬敞，像是一座熱鬧的城市，裡頭有螢火蟲和看似定點飄浮的小圓蠟燭——狄德麗好像稱之為茶燭。噴泉涓涓流入小池，這時我發現樂聲似乎是從自動彈奏的鍵盤經過擴音而播放；音符流洩而出，鍵盤也隨之亮起，聽起來宛若一整個弦樂及銅管樂隊。這旋律我很熟悉，是我媽曾經哼過的「結婚進行曲」，這是外婆年代舉辦婚禮的主題曲。

我和另外兩位新娘被領到空地中央的涼亭，紅毯在這兒成了一個大圓。一個穿白袍的男人站在我們身邊，貼身佣人則在我們對面各就各位，像是祈禱那樣在胸前緊扣雙手。一隻螢火蟲在最年輕的新娘鼻頭旋繞然後消失不見，逗得她咯咯竊笑。年紀最長的新娘用她宛如傍晚天際般陰鬱的雙眸凝視空地。至於我則盡量低調、不要引人注目，但若總督愛的是我的雙眼，我再怎麼想不露鋒芒都無濟於事。

我對傳統婚禮所知甚少，我沒參加過；而我爸媽與當時大多數的愛侶一樣，在市政廳互許終生。隨著人類早夭的趨勢，幾乎沒什麼人結婚了。但我猜這大概或多或少就是婚禮該有的樣子：等待的新娘、音樂、身穿燕尾服的新郎步步靠近。馬上要成為我丈夫的林登總督，挽著第一代男人的胳臂走向我們。他們在涼亭分道，林登獨自往我們這頭跨出三步。他站在圓紅毯中央，面對我們。紅髮小女孩對他眨了個眼，他回以愛慕的微笑，就像是父親會對年幼女兒綻露的笑容。但她不是他女兒，而且他打算讓她懷孕好傳宗接代。

我感到作嘔。我膽子大到可以吐在他油亮的黑鞋上。但我來這兒的第一天起，蓋布利歐帶給我的餐點，我就一口都沒吃過；況且嘔吐也無法讓我得寵。我愈快按捺作嘔感愈好。

白袍男開始致詞，樂聲也漸漸消失。

「今天我們齊聚一堂，見證四個人的神聖結合，他們將孕育出後代子孫的果實……」他說話的同時，林登往我們這頭瞧。或許是燭光作祟，又或許是傍晚的微風輕拂，他看起來已不似先前從一排女孩選妻時那般險惡。他個子高、骨架小，看上去有那麼點弱不禁風，像個孩子。他的雙眼是澄澈的碧綠，臉的四周垂著黑亮的鬈髮，好似濃密的藤蔓。他沒有面帶微笑，也沒像他在走廊上逮到我奔跑時的咧嘴陰笑。我一度懷疑這之前之後到底是不是同一個人。但當他一張嘴，我便瞧見他微光閃爍的金牙嵌在臼齒的部位。

貼身佣人們邁步向前。白袍男已結束這段婚姻會如何穩固後代子孫的發言，現在換林登一一點名對新娘說話。「西西莉．艾許比。」他對小新娘說。愛兒張開她緊握的雙手，一枚金戒現於眼前。林登拾起戒指，套在小新娘的手指上。「吾妻。」林登說。她羞紅了臉，眉開眼笑。

我還來不及消化眼前的情況，狄德麗便攤開掌心，林登從她那兒拾起戒指、套進我的手指。「萊茵．艾許比，吾妻。」他說。

我對自己說這不代表什麼。吾妻就隨他叫吧，等我翻過柵欄，這枚蠢戒指就不具任何意義了。我還是萊茵．艾勒里。我試著慢慢意會這個想法，卻已嚇得一身冷汗。我心情沉重。林登與我四目相交，我也直視他的雙眸。我臉不紅、不退縮、也沒別過目光。我是不會屈服的。

他逗留了一會兒，接著往第三位新娘邁進。

「珍娜．艾許比，吾妻。」他對下一個女孩說。

白袍男說：「命運的結合，任誰也無法拆散。」

我在心中暗忖：命運是個賊。

樂聲再度響起，林登依序牽起新娘的手，一次一個領我們下階梯。他的手濕濕冷冷。這是我們成為夫妻之後的第一次肢體接觸。我移動的同時，設法將過去幾天囚禁我的府邸看個仔細；無奈豪宅太大，我又站得太近，只能看見它的其中一面，看到的不外乎是磚頭與窗。不過我好像瞧見了蓋布利歐，他一度經過一扇窗前。我認出他分線整齊的頭髮，他那雙碧綠大眼注視著我。

下階梯後，林登就離我們而去，和與他前來的第一代男人走得不知去向。新娘子則被簇擁著回到府邸。府邸的外牆爬滿常春藤，我在進門之前伸手抓了一把，然後緊握掌心。它使我想起家園，儘管那裡再也長不出藤蔓。

回到臥房後，我趁狄德麗過來幫我打理之前，將常春藤藏在枕頭套裡。她為我褪去婚紗，將它摺得整整齊齊，然後在我身上噴了些水。起初刺激鼻子、讓我想打噴嚏，後來化為宜人的玫瑰氣息。她又讓我坐在躺椅上，再打開化妝品抽屜。她把我的彩妝卸乾淨，重新上妝；不過這回在用色上卻選用充滿戲劇性的紫與紅，使我顯得嫵媚撩人。相較於之前的新娘妝，我更喜歡這個妝容，因為覺得它能彰顯我的憤怒與痛苦。

我換上一襲與唇彩相襯的紅色合身禮服，領口和裹肩袖都圍了一圈黑色蕾絲。裙襬只到大腿的一半，狄德麗拉了禮服幾下，確定它垂得漂亮。她忙著為我整衣的同時，我穿上另一雙荒謬的恨天高，凝視鏡中的自己。在天鵝絨料子的襯托下，我曲線畢露——胸部、髖骨，甚至連肋骨的線條都一覽無遺。「這表示妳不是小孩了，妳隨時都準備好跟丈夫洞房。」她解釋道。

後來她領我搭電梯、穿過許多走廊，最後抵達飯廳。另外兩位新娘分別穿了跟我同款的黑色與黃色禮服。我們都把頭髮放下來了。我坐在長桌前兩位新娘的中間，頭頂有盞水晶吊燈。紅髮的西西莉一臉興奮，黑髮的珍娜則似乎已走出憂愁。她的手在餐桌底下拂過我手，不曉得是有意還是無心。

我們聞起來都有花香味。

仍有點點光亮從西西莉的秀髮落下。

林登總督再度在第一代男人的陪同下出現。他們向我們走來，林登一次一位，拉起每位新娘的手到唇邊親吻，然後介紹他的爸爸，也就是沃恩戶長。

沃恩戶長也親吻我們的手，我得費點力才不致在和他薄而冰涼的嘴唇相觸時蠕動掙脫。他的唇讓我想起死屍。身為第一代，沃恩戶長保養得宜；他的黑髮只有零星幾綹灰白，臉上的皺紋也不多。不過他的皮膚毫無血色、病態蒼白，相較之下，蘿絲都顯得充滿生氣。他毫無笑容，任何東西被他碰了就冰如凍原；他一接近，就連西西莉都變得乖順。

等林登跟沃恩戶長在餐桌另一頭就座——林登面對我們、沃恩戶長坐首席——我才感覺壓力小些。我們新娘毗鄰坐成一排，另一端的首席則是空著。那應該是林登的母親的座位，但既然沒人坐，我猜她大概過世了。

蓋布利歐穩穩端著一疊餐盤和餐具進來，這時我才發現有他在我安心多了。從昨晚他瘸著腿步出我的房門起，我就沒和他說過話。我很擔心自己輕舉妄動害他受罰，結果沃恩戶長決定把他深鎖地牢，關到死為止。我的憂慮總會扯上地牢；我想不出比監禁餘生更慘的懲罰，畢竟人生苦短。

不過蓋布利歐似乎看來無恙。我仔細尋找他襯衫底下的瘀青跡象，但啥也找不著。他走路不再一瘸一拐。我試圖吸引他的目光，希望能給他一個憐憫或道歉的眼神，可是他從沒揚起目光朝我這頭看。另外四名身穿同款制服的僕人跟著他進場，帶了水壺、酒瓶，和一整推車的佳餚珍饌：塗焦糖醬的全雞、切成睡蓮造型的鳳梨和草莓。

飯廳大門被撐開，方便侍者忙進忙出。不曉得我逃跑的話會發生什麼事？蓋布利歐或其他僕人會不會把我攔下？但最終讓我留在原位的是我對新婚丈夫的恐懼，不知他會有何反應，因為假如我拔腿就逃，肯定跑不了多遠就被抓回來了。然後呢？我大概又會被鎖在房裡，永遠背著不可信賴的污名。

於是我留下，加入緊繃且愉悅到令人作嘔的對話。林登本身不多話；他將一匙又一匙的湯送進嘴裡，心思卻似乎在別處神遊。西西莉對他綻露笑顏，甚至故意掉湯匙，大概就是希冀能一博他的目光。

沃恩戶長聊的是這座有百年歷史的花園以及香甜的蘋果，就連水果和灌木從他口中說出都能變得不祥。怪就怪他的嗓音低沉刺耳。我發覺佣人上新菜和收殘羹剩菜時，都沒人敢看他一眼。

我猜就是他了。昨天因我房門沒鎖而傷害蓋布利歐的人就是他。儘管他笑容可掬，聊的淨是些無害的話題，我卻能感覺這個人口蜜腹劍，使我食慾不振，讓狄德麗討喜的臉龐血色盡失，說不定比悲痛的林登總督更加危險——只見他對我們視若無睹，癡癡愛著一個命在旦夕的女人。

第五章

等終於捱過晚餐，我身著白色襯裙，倦怠無力地躺在床上，任狄德麗按摩我發疼的雙腳。要不是我太過疲憊，加上她揉得那麼令人心神愉悅，我說不定會阻止她。她跪在我身旁，體重輕到幾乎沒在絨毛被上留下一點印子。

我趴著摟住一顆枕頭，她開始按摩我的小腿；穿了好幾個鐘頭的高跟鞋，現在需要的就是這個。她也點了幾根蠟燭，使臥室充滿暖暖的朦朧花香。此時此刻我放鬆到有話就脫口而出，完全不去顧忌要注意修辭：「所以說要怎麼個洞房花燭夜？把我們排成一列挑選？用催眠瓦斯把我們迷昏？還是把我們三個扔到同一張桌上？」

我粗俗的用字似乎沒有激怒狄德麗。她不厭其煩地說：「哦，總督今晚不會和新娘子圓房。只要蘿絲小姐……」她話愈說愈小聲。

我把上半身抬高，讓自己能轉頭看她。「只要蘿絲小姐怎樣？」

狄德麗臉上浮現一抹憂傷，她揉著我痠疼的腿，肩膀跟著起伏。「他深愛著她，在她過世之前，他應該都不會臨幸任何一位新娶的太太。」她惆悵地說。

林登總督確實沒進我的臥室，等狄德麗吹熄蠟燭並離開，我終於昏昏沉沉地進入夢鄉。不過到了清早，我卻被門把的轉動聲驚醒；這幾年我變得無法熟睡，再加上沒被灌催眠藥，於是又恢復以往的機警。但我還是不動聲色，睜大眼靜觀其變，緊盯在黑暗中打開的房門。

暗影有一頭鬈髮，使我認出來者是林登。

「萊茵？」這是我們短暫婚姻中他第二次叫我名字。我想充耳不聞，假裝還在睡覺，可是我受驚的心兒怦怦直跳，只怕人在房門口都聽得到。雖然這麼想很不可理喻，但我還是覺得嘎吱開啟的房門意味著採花賊會給我腦袋一槍，或把我擄走。再說林登已看見我張開眼了。

「什麼事？」我問道。

「起來，穿件衣服保暖，我有東西要給妳看。」他輕聲說。

我在心裡複述：穿件衣服保暖！這肯定代表他要帶我出門。

值得嘉許的是，他離開臥房，讓我私下更衣。我一開衣櫥，眼睛為之一亮，成排的衣服映入眼簾，比我之前費心觀察的還多。我挑了一條暖呼呼的黑色羊毛褲，和針線中織入珍珠的毛線衣——這無疑出自狄德麗的一雙巧手。

我打開門——它不再像婚禮前由門外上鎖——發現林登在走廊上等我。他微微一笑，圈起我的臂彎，領我走向電梯。

光想到這棟豪宅有多少走廊就教人心煩。我很確定，就算大門敞開任我逃跑，我也絕對找不到門在哪裡。我試圖記住自己的所在位置：一條樸素的長廊，鋪了一塊看起來很新的綠色地毯。牆壁是帶灰的乳白色，掛著和我臥室相同風格、不知名的畫。行經之處沒有窗戶，所以我直到林登開門才知道已經到一樓了；門外是通往玫瑰園的小徑，途中經過同樣熟悉的玫瑰叢步道。不過這回我們穿越涼亭。天尚未破曉，所以戶外有種朦朧欲睡的氛圍。

林登帶我去看其中一座噴泉，泉水涓涓流入池子，池裡有許多長而肥美的魚，白的、橘的、紅的，色彩斑斕。「錦鯉，源自日本。聽說過嗎？」他對我說。

在父母相繼過世、我逼不得已工作掙錢之前，曾念過短短幾年書，但地理已成為一門晦澀難解的科目。我們的學校由教堂改建，學生很少能全員到齊、把第一排的靠背長椅坐滿。一如我和我哥，學童多半是第一代的子女，從小被灌輸教育的重要性，哪怕還沒機會學以致用就走到生命的盡頭。校園裡有一兩名孤兒夢想著成為演員，他們想多識點字好背熟劇本。我們在地理課學到世界曾經由七大洲和一些國家組成，可是第三次世界大戰摧毀了大半個地球，唯一倖免於難的是北美洲，因為這塊大陸擁有最為先進的科技。戰爭帶來無比慘痛的後果，除了北美之外，整個世界只剩下海洋和不適合居住的島嶼，而且島嶼小到從外太空根本看不見。

不過我爸對全世界充滿熱忱。他有本看似是二十一世紀的世界地圖集，上頭以全彩繪製每個國家和其習俗。我對日本情有獨鍾，喜愛色彩鮮麗的藝妓，和她們線條明顯的五官與噘起的嘴唇。我喜歡粉的和白的櫻花樹，它和曼哈頓人行道上柵欄內的瘦弱植物截然不同。整個日本就像是一張巨大的彩色相片那般光亮。我哥偏愛非洲，那裡有耳朵鬆垂的大象和五彩繽紛的鳥類。

在我的想像中，北美外的世界一定很美，而且將這份美好介紹給我的是爸爸。我靜靜緬懷那些早已不復存在的地方。一條錦鯉游過我面前，消失在水池深處，而我滿腦子想著要是爸爸看見了牠，不知會有多高興。

一想到已和爸爸天人永隔，我就突然悲從中來，雙腿差點承受不住身體的重量；我勉強把淚水嚥下喉嚨，硬是把哽咽往肚裡吞。「聽過。」是我唯一能說出口的兩個字。

林登似乎對我欽佩有加。他綻露笑顏，伸手像是要摸我，卻又改變心意，繼續往前走。我們來到一個心型的木製鞦韆前，在那兒相敬如賓地坐了一會兒，輕輕盪了那麼幾下，遙望玫瑰叢彼端的地平線。些許的橘色和黃色逐漸浮現，一如狄德麗的化妝刷。星星依舊清晰可見，但也正從染上熾烈色彩的天空消失。

「妳看看它有多美。」林登說。

「日出嗎？」我問道。日出很美沒錯，但不太值得為它一大早爬下床吧。我太習慣輪班睡覺，和哥哥輪流守夜，導致已把身體訓練成一有時間絕不錯失睡覺的機會。

「新的一天的開始，健康地見證它的到來。」林登說。

我可以看出他碧綠雙眸的哀傷。但我不信這一套。眼前這個男人付錢給採花賊，換得我的餘生，而且囚禁廂型車的女孩血染他的雙手，這要我怎麼相信他？我的日出或許有限，但我絕不把餘生當作林登．艾許比的妻子在過。

我倆沉默片刻。拂曉晨光照亮了林登的臉龐，我的婚戒也如光圈般灼燒。我恨死這玩意兒了，昨晚我用盡意志力，才沒把它扔進馬桶沖掉。但倘若我想贏得他的信任，就得把它戴著。

「妳聽過日本，那還聽過世界上其他地方嗎？」他說。

我不會告訴他爸爸有本地圖集，而且我和我哥把它和其他貴重物品藏進皮箱裡上鎖。除了嬌妻之外，林登這種人無須將珍寶上鎖。他不會理解那些處境危急的窮困地區的人行徑有多瘋狂。

「不多。」我說。聽他說起歐洲時，我佯裝無知：名為大笨鐘的鐘塔（我記得它在暮光下倫敦擁擠的人潮中閃耀）；還有已經絕種的、脖子跟腿一樣長的紅鶴。

「這些多半是蘿絲教我的。」他向我坦承，就在朝陽喚醒花園裡萬紫千紅的同時，他避開我的目光。「妳可以進屋裡去了，會有侍從等著帶妳上樓。」他說到最後嗓音哽咽，我知道現在不是賴著不走、假裝對他愛慕有加的時機。我走回大門，留他獨自一人面對新的一天，任他沉浸於對蘿絲的思念，無奈伊人見到日出的次數已寥寥無幾。

接下來的這幾天，林登幾乎沒理過他的新娘。我們臥室的房門沒鎖，多半可以自由行動，在該層樓閒晃；那層樓有獨立的書房和起居室，其他的乏善可陳。我們不能使用電梯，唯一的例外是總督邀我們共進晚餐，但例外發生的機會微乎其微。我多數時間都賴在書房一張軟而厚實的座椅上，翻閱精美的扉頁，欣賞一張張在世上絕種、或仍在美國其他地區生長的花卉圖片。我靠著自學認識受戰事波及、老早就蒸發的極地冰冠，還有個名叫克里斯多福・哥倫布的探險家，他證明地球是圓的。我雖然身在囚室，卻能沉醉在早已逝去、浩瀚無垠的歷史中渾然忘我。

我和我的姊妹妻不常見面。有時珍娜會坐在我身旁的沙發，從小說前抬起頭來問我在讀什麼。她的嗓音羞怯，只要我一看她，她就像驚弓之鳥，彷彿深怕我會打她。然而，在那層膽怯之下另有不為人知的一面，支離破碎的她曾經是個自信、堅強、勇敢的女孩。她的雙眼時常迷濛，淚眼汪汪。我們的對話簡短節制，從不超過一、兩句。

西西莉抱怨孤兒院沒好好教她識字。她會拿著書，好學地坐在其中一張桌子前，有時高聲拼字，不耐煩地等我教她發音或解釋字義。雖然她年僅十三，最喜愛的讀物竟全跟懷孕生子有關。

縱使缺點多如繁星，西西莉卻是個音樂天才。有時我會聽見她在起居室彈琴。頭一回，早過了午夜時分，我仍被樂聲引至門檻，只見她那火紅秀髮的小小身軀端坐著，琴鍵某處投射的風雪全像圖將她籠罩。西西莉被府邸迷人的假象吸引得目眩神迷，閉著眼彈奏，沉醉在自己的協奏曲中；她不再是穿翅膀禮服的、我的小姊妹妻，也不是遇到跟她唱反調的侍從就亂扔餐具的那個女生，她變脫胎換骨、超脫塵俗。她身體裡沒有滴答作響的定時炸彈——看不出有這麼可怕的東西，會在短短幾年內扼殺她的生命。

但在午後時分她的琴藝就失色不少，她以無意義的模式彈奏琴鍵，用以自娛。湍急的流水、布滿閃爍螢火蟲的夜空、疾速穿梭的虹彩……全像投影片共有數百張，假如沒有其中一張嵌入琴鍵，輔佐伴奏，鍵盤就發揮不了作用。我從沒見她重複使用同樣的全像圖，但這點她絕口不提。

起居室的幻象應有盡有。只要按下按鈕，電視畫面即可模擬滑雪道、溜冰場，或賽車道。這裡有遙控器、方向盤、滑雪板，和五花八門的控制器，用來取代真實世界。不曉得我的新婚丈夫是不是這樣長大的——困在這棟腹地遼闊的豪宅，只靠幻象作為導師，學習世界的一切。我趁一個人的時候小試身手釣魚，結果不似現實生活，我竟然成了垂釣高手。

我在久到天荒地老的獨處時間逛了妻妾樓好幾次，從蘿絲位於走廊遙遠盡頭的臥房到彼端的書房。我檢查過通風孔，它們固定在天花板上，也看過髒衣通道，可是它小到充其量只能容納一小堆衣物。窗子全都動彈不得，唯一開得了的在蘿絲房裡，偏偏她又老是待在臥室。

書房的壁爐全是假的，投影的火焰發出劈啪作響的燒柴聲，卻提供不了半點溫暖。屋裡沒有煙囪，煙無法送達天空。

這裡沒有樓梯，甚至沒有上鎖的逃生出口。我邊走邊摸牆壁，凝視書架背後和傢俱底下。我很好奇妻妾樓是不是府邸內唯一沒有樓梯的一層，萬一發生火災、電梯動不了，林登的新娘將會全數葬生火窟。不過話說回來，我們很容易被人取代。先前射殺廂型車裡的其他女孩，他連眼睛都不眨一下。

但這樣說不通呀。那林登癡情深愛的蘿絲怎麼說？難道對他而言，她的命比別人更值錢？也許不是。搞不好連大老婆、他的最愛，都隨手可拋。

我試著打開電梯，可是少了鑰匙卡，無論按什麼鍵都動不了。我試著用手指將它撬開，接著再用鞋尖，假裝發生火災、假裝我的生命全靠一條緊急逃生通道。電梯門說什麼都開不了。我到臥室尋找能幫上忙的工具，看見一把雨傘掛在衣櫥便拿來一試。我有辦法在兩扇金屬門間擠出一點空隙，門微微開啟，夠讓我把腳伸進其中。然後……成功了！電梯門開了。

電梯井的陳腐空氣旋即撲鼻而來，我上下張望，發現裡頭更加漆黑。我端詳纜線，但摸不透起點何方、終點在哪兒。我伸手去摸其中一條、緊緊抓牢。我可以試著往上爬，或握住它順著往下滑。就算最遠我只到得了下一層樓，也說不定能在那兒找到一扇開著的窗或樓梯。

讓我猶豫不決的，是說不定這三個字。因為我說不定沒法從電梯裡把門打開。要是電梯突然升降、我來不及逃跑，說不定會被壓死。

「在考慮自殺？」蘿絲問我。我身子一縮，把胳臂從電梯井收回來。我的姊妹妻站在離我幾呎遠之處，穿著薄薄的睡袍，交疊雙臂。她蓬頭垢面、臉色蒼白、嘴唇是不自然的糖紅色，但她面帶微笑。「別緊張，我不會打小報告。我可以理解。」她說。

電梯門在我面前滑動關上。

「真的嗎？」我問她。

「嗯。」她哼了一聲指向我的雨傘。我把傘遞給她，她撐開傘，在頭頂轉了一圈。「妳在哪兒找到的？」她問我。

「在我衣櫥。」

「也對。妳知不知道室內不該撐傘？會帶來厄運。林登這個人其實很迷信哦。」她闔上雨傘，開始研究它。「妳知不知道臥室裡擺什麼，林登有最後的定奪權？妳的衣物、鞋子，還有這把雨傘。假如他允許妳擁有這把傘，妳知道這代表什麼嗎？」

「他不希望我被雨淋濕。」我話說出口的同時也漸漸意會。

她目光一抬，綻露笑顏，把雨傘扔回我手中。「沒錯。而且只有戶外才會下雨。」

戶外。我從沒想過這兩個字會使我的胃七上八下。這是我過去的生命中所擁有的小小自由，現在我不計一切代價也要把它討回來。我握著傘的手抓得更緊了。「出門的話，不是只能搭電梯嗎？」

「別管電梯了，丈夫才是妳外出的唯一管道。」蘿絲說。

「這我就不懂了。萬一發生火災呢？我們不全都難逃一死？」

「妻子是一種投資。為了妳，沃恩戶長砸下重金。事實上，沃恩戶長對遺傳學相當著迷，我敢說光為了妳這雙眼，他還得額外多付點錢。倘若他顧及妳的安全，什麼火災、颶風、海嘯……都不要緊。妳不會出事的。」蘿絲說。

這番話大概是用來奉承我的，實際上卻讓我憂心忡忡。假使我是一種投資，那就更難神不知鬼不覺地溜走了。

蘿絲看來一臉疲憊，於是我把傘扔回我的臥室，攙扶她回床上。只要侍從勸她休息，她通常會抵死不從；但換作是我，她卻乖乖就範，因為我從不設法逼她吃藥。「幫我開窗。」她一邊咕噥，一邊鑽進絲綢被。我照她說的辦，一陣涼爽的春日微風捎進屋內。她深吸一口氣。「謝謝。」她嘆息道。

我坐在窗台上，手貼著紗窗。它看起來像是普通至極的紗窗，只要推得用力就會彈出窗框。我可以跳窗呀，雖然它有好幾層樓高——起碼比我家的屋頂高——可是沒樹能讓我搆著。這不值一試，儘管如此，蘿絲發現我在電梯前時對我說的話卻又浮上心頭。她說她能理解，所以不會打小報告。

「蘿絲？」我叫她。「妳有沒有試圖逃跑過？」

「這不重要。」她說。

我憶起照片裡那個笑容燦爛、如此生氣蓬勃的小女孩。這些年來她都待在這兒。難道她生下來就是要作林登的新娘？還是她曾經抵抗過？我張嘴想問個清楚，但她在床上坐直身子，對我說：「妳還有機會見識這個世界。我看得出來他會愛上妳。只要妳把我的話聽進去，就會發現我死了之後，妳馬上會成為他最寵幸的愛妻。」談到自己的死，她竟然如此一派輕鬆。「到時候妳想去哪兒，他都會帶妳去。」

「也不是哪兒都能去，我有家但回不得。」我說。

她淺淺一笑，輕拍她身旁的床墊邀我坐著。我往她身邊一坐，她便起身跪在我背後，開始幫我綁髮辮。「現在這裡就是妳家了，妳愈抵抗，」她拉我頭髮刻意強調，「圈套就勒得愈緊。喏。」她取下垂在床頭板的一條緞帶，把我的頭髮綁好。她爬過床墊、面對我，從我臉上撥開一綹秀髮。「妳頭髮綁起來很好看。妳的顴骨很美。」

顴骨很高，跟她一樣。我倆相似的容貌教我無法忽視：一頭濃密的波浪金髮、雅緻的下顎、柔和的鼻子。她唯一缺的就是虹膜異色症。不過我倆其實還有另一顯著的差異，那就是她能接受這種生活、去愛她的丈夫；假如我不惜送命也要努力一試，就能獲得自由。

那天之後，我跟蘿絲就再也沒聊逃跑的事了。新娘子裡她最疼我，畢竟其他兩位都沒和她說過話。珍娜惜字如金，而西西莉不下一次地問我何必要費心認識林登臨終的老婆。「她就快死了，到時候他就會把注意力放我們身上了。」從她說話的語氣聽來，好像這是件值得期待的事。令我厭惡的是，對她而言蘿絲的性命居然這麼一文不值；不過去年冬天我們在自家門前發現一位凍死的孤兒，我哥提起她時，口氣冷酷的程度也和西西莉相去不遠。

我發現屍體時淚如泉湧，但我哥說我們甚至不該馬上將它移走，因為這具屍體能讓其他有心破門而入的人引以為戒。「瞧我們的鎖有多牢，他們死了都進不來。」必然。倖存者。不是你死就是我亡。幾天後我提議可以將屍體——穿破爛格子外套的小女孩——埋了，他就在我的幫忙下把死者拖到垃圾車。「妳的弱點在於太感情用事了，這樣會淪為別人容易下手的目標。」他說。

這個嘛，羅恩，或許這次不盡然。或許這次感情用事派得上用場，因為我和蘿絲促膝長談好幾小時，對話令我樂在其中，我自然可以善用良機，得知關於林登的一切、贏得他的寵幸。

可是日子久了，幾個禮拜過去了，我感到兩人之間發展出真實的友誼，這是我最不想和垂死之人建立的關係。儘管如此，我仍享受她的陪伴。她向我提起隸屬第一代的原生父母；雙親在她小時候死於一場意外，但他們生前和林登的爸爸是密友，於是後來她就住進這座府邸、成為他的新娘。

她也跟我提起林登的媽媽，也就是沃恩戶長第二任的年輕老婆。她在生林登的時候難產而死。由於沃恩太過專注研究，打從兒子一誕生就想方設法要救他的命，導致從沒心思再娶妻。蘿絲說，要不是他醫術高明又熱愛工作，很可能會招人奚落。他在城裡開了家醫院，生意好得很，又是當地首屈一指的基因研究學者。她說戶長的大兒子活滿二十五年，在林登出生時逝世，後來火葬。

這大概是我跟新婚丈夫的共通點吧。在我跟哥哥出世之前，爸媽有兩個小孩，他們同為雙胞胎，可是生來眼盲瘖啞。他們四肢畸形，活不到五歲就撒手人寰。有鑑於完美無瑕的第一代，這類的基因異常相當罕見，卻不無可能會發生。這種情況稱為畸形。看來我爸媽生的小孩都有基因上的異常；只不過現在我有理由為虹膜異色症心懷感激。說不定多虧有它，我才能在廂型車後座逃過子彈穿腦的命運。

我跟蘿絲也會談較為開心的話題，比方說櫻花樹。後來我甚至對她推心置腹，向她傾訴爸爸的地圖集、以及我錯過全盛時期的世界有多失望。她一邊幫我綁辮子，一邊說要是能選在世界任何一處生活，她會挑印度。她要穿莎麗服，而且絕對會紋身彩繪，又說不定會騎著裹了寶石的大象在街上遊行。

我為她塗粉紅色的指甲油，她則撕下貼紙，在我額頭上貼些新奇的飾品。

有天午後，我倆並排躺在床上，盡情享受色彩繽紛的糖果，我突然脫口而出：「蘿絲，妳怎麼受得了啊？」

她在枕頭上轉頭面向我。她的舌頭呈深紫色。「什麼？」

「妳還在世，他就再娶，妳不覺得心裡有疙瘩嗎？」

她淺淺一笑，兩眼盯著天花板，手裡把玩包裝紙。「是我要他這麼做的。我說服他先把新太太娶進門，萬一我走了，他就不會那麼難受。」她閉上眼打了個呵欠。「況且社交圈已開始對他冷嘲熱諷。多數的總督少說也有三個老婆，我還聽過娶七個的——一週七天、一天一個。」荒謬的是她竟輕笑幾聲、強忍咳嗽。「但林登不是這種人。多年來沃恩戶長要他納妾講到喉嚨都長繭了，但他總是推辭。最後他終於同意了，不過前提是他能參與選妻。當初娶我為妻並不是他作主的。」

她口氣冷冰冰的，但心情詭異的平靜。令我擔心的是，只是因為我有一頭金髮、跟她長得略為相似，就成了她最寵愛的新娘。她這麼冰雪聰明、博學多聞，不知看不看得出來我永遠不可能愛上林登，更不可能像她那樣愛他，而他也不可能像愛她那樣再愛別人。不知她是否明白無論在我身上多麼努力栽培，我也永遠無法取代她的地位。

第六章

「我想要玩遊戲。」西西莉說。

珍娜埋首小說，連頭也不抬。她無精打采地癱在沙發上，兩腿在扶手懸蕩。「玩都玩膩了。」

「我不是指鍵盤跟虛擬滑雪，我說的是眞正的遊戲。」西西莉堅稱。她望向我尋求協助，但我唯一會的遊戲就是和我哥在廚房設發聲陷阱、設法毫髮無傷地度過長夜。但我被採花賊捉走時，這場遊戲就算輸了。

起居室裡滿是虛擬運動遊戲，和可以模仿交響樂團樂音的琴鍵，我在窗台上蜷著身子坐著，一直遙望宛若成千隻白翅小鳥在降落的飄逸橙花。羅恩根本不信這些，他不信植物蘊含的生命力、健康與美。曼哈頓淨是從柏油路冒出的、苟延殘喘的乾草。市售的康乃馨聞起來有冰箱味，與其說是花，其實更像科學產物。

「妳都沒有會玩的遊戲嗎？」現在西西莉的問題衝著我來。我感覺她的褐色雙眼正盯著我瞧。

這個嘛。我倒有個遊戲會玩，那要用到紙杯穿線，我和以前住窄巷對面的小女孩玩過。我張嘴準備解釋遊戲內容，卻又臨時變卦。我不想對著紙杯和姊妹妻輕聲細訴祕密。說真的，我只有一個值得提的祕密，那就是我的逃亡計畫。

「我們可以玩虛擬釣魚。」我說。就算不看西西莉，我也能感覺到她的憤怒。

「總有什麼真的東西好玩吧，肯定有的。」她說。她踱出房門，我聽見她在走廊上來來回回，拖著腳走路。

「可憐的孩子，她根本不知道這是怎樣的地方。」珍娜說，目光一度轉到我身上，然後繼續看書。

中午爆發了一件大事。蓋布利歐把我的午餐端進書房——如今這裡成了我的新寵——在我背後瞧見書上的船隻素描時，便停下腳步。

「妳在看什麼？」他問我。

「歷史書，有名探險家召集一組人馬，搭乘三艘船繞行世界，證明地球是圓的。」我說。

「尼那、平塔，和聖塔馬利亞號。」他說。

「你懂世界史？」我問道。

「我懂的是船。」他邊說邊往我背後的厚軟墊椅扶手一坐，並伸手指圖。「這艘是輕帆船。」他開始鉅細靡遺地對我描述船的結構，比方說三根一組的船桅和三角帆。我真正聽懂的只有：船是西班牙的設計樣式；話雖如此，我卻沒打斷他。我可以看出他碧眼中的專注、看出他對某事的熱忱，也看出他從伺候林登新娘、為她們煮飯的沉悶的工作中稍加喘息。

我坐在厚軟墊椅上，被他的影子籠罩，彷彿真能感覺他臉上浮現的笑容。

這時西西莉的貼身佣人愛兒闖了進來。「原來你在這兒，快去廚房幫蘿絲小姐拿點止咳藥。」她對蓋布利歐吼道。

我能聽見蘿絲在長廊盡頭的咳嗽聲。它儼然成為這裡的背景音，導致我偶爾會忽略它的存在。蓋布利歐趕緊起身，我闔上書，準備與他一塊兒走出書房。「別出去，還是等這場騷動過後再走吧。」他在門口攔住我。

可我從他肩膀往外望，卻驚見異乎尋常的一團混亂。貼身佣人七手八腳、來回穿梭。第一代的侍從從電梯裡出來，端著瓶瓶罐罐，還有一部類似增濕機的機器，很像我有年冬天得肺炎，爸媽擺在我臥室的那一部。這一切的手忙腳亂只是徒勞，蓋布利歐也察覺到了，我能從他的眼神察知。

「待在這裡。」他說。我當然把他的話當耳邊風，隨他上了走廊。走廊的場面十分駭人，我巴不得與他一起進電梯，雖然這麼做可能是違令，但我也顧不了那麼多了。蓋布利歐刷了一下鑰匙卡，就在電梯門開啟的剎那一切靜止。就這麼靜止。貼身佣人瞬間停格；侍從呆呆地手拿棉被、藥丸，和呼吸器。林登跪在蘿絲床邊，把臉埋進床墊。他緊握著她纖長、蒼白的胳臂，我順勢往上望，只見她的軀體不再動彈、也沒了氣息。她的睡袍和臉龐濺得全是鮮血，想必都是她聲嘶力竭咳出來的。但如今這層樓彌漫著詭異的沉默。這是我幻想中世界其他區域的沉默、浩瀚汪洋和無人島的沉默、從外太空都能察覺的沉默。

西西莉和珍娜步出各自的臥房，整層樓靜到我們能聽見林登喉頭的哽咽。「滾！」他咕噥著說；然後又扯開嗓門：「滾！」但一直到他拿花瓶往牆上砸，我們才鳥獸散。最後我跟蓋布利歐進了電梯，當門在我們背後闔上，我心懷感激。

我別無選擇，只能跟著蓋布利歐進廚房；不然我去別處絕對會迷路。我坐在櫃台長桌上啃咬葡萄，廚師和侍從則一邊閒聊一邊忙著幹活兒。蓋布利歐靠在我身旁的櫃台擦拭餐具。「我知道妳很喜歡蘿絲，不過我們樓下的對她沒什麼好感。她對員工很刻薄。」他對我低語。

主廚像是為了證實他的講法，尖聲叫道：「我的湯不夠熱！哦，現在又太燙了！」並發出吐口水的聲音，惹得其他人哄堂大笑。

不可否認，聽眾人的嬉笑讓我很難受。我親眼目睹過蘿絲對佣人大發雷霆，但她從沒對我提高音量說話。在這個充滿注射器的地方，面對鬱鬱寡歡的總督和陰森逼人的戶長，她成了我唯一的朋友。

但我一聲不吭。我們的手帕情誼不能為外人道之，反正消費她、拿她當笑柄的這些人一個也不會明白。我開始從藤蔓上摘葡萄，一次一顆在指間轉動，然後再擺回碗裡。蓋布利歐在工作之餘不忘偷瞄我幾眼。就這樣過了好一陣子，廚房裡的其他人彷彿在百萬哩外喧囂不已，而樓上的蘿絲已香消玉殞。

「她老愛吃一種糖果，讓舌頭變色的糖果。」我惆悵地說。

「那種糖叫六月豆。」蓋布利歐說。

「還有嗎？」

「當然有……多得是咧。以前她都叫我一箱一箱訂。在這兒……」他說。他領我至內嵌式冰箱和爐牆間的食品櫃前。只見五顏六色、微光閃爍的包裝紙將櫃裡的木製條板箱塞爆。我聞到糖味以及人工染色劑。訂購糖果的是她，如今糖果也等著被倒入她的水晶碗供人品嚐。

我的嚮往一定溢於言表，因為蓋布利歐正幫我將一些糖果裝進紙袋。「要多少盡量拿。不然也是浪費。」

「謝謝。」我說。

「喂，叫妳啦，金髮妹。」主廚呼喚我。這個第一代的女人將油膩的頭髮綁成灰白的圓髮髻。「妳難道不該趁老公逮人之前先回樓上嗎？」

「不必，我走了他也不知道。他對我視若無睹。」我說。

「其實他很關注妳。」蓋布利歐說。我不可置信地望著他，但他的一雙碧眼卻迴避我的目光。

因為喃喃自語的主廚正在占用洗碗槽，於是其中一個廚子便開門把一壺水往外倒。一陣寒風拂過我臉上的秀髮，藍天綠地在我眼前一閃而逝。這扇門不用刷鑰匙卡，也沒上鎖。怪不得妻子們不得離開妻妾樓；府邸不是每處都用來囚禁我們。

「你可以出門嗎？」我壓低音量問蓋布利歐。

他對我擠出一抹慘笑。「只能在院子裡幹活兒，不然就是把送來的貨拿進屋內。沒啥刺激的。」

「外頭有什麼？」

「永恆。」他淺笑一聲說。「有花園，有高爾夫球場，或許還有點別的吧。院子的活兒不歸我管，所以我也不曉得。我從沒見過庭院的盡頭。」

「金髮妹，在外頭等妳的，是全世界的紛擾，妳的歸屬是雕梁畫棟的那層樓，妳只要斜倚絲綢床上擦指甲油就好了。快點趁給我們添麻煩前回去吧。」主廚說。

「走吧，我送妳上樓。」蓋布利歐說。

返回妻妾樓後，只見蘿絲的房門緊閉，侍從跟貼身佣人全都走光了。西西莉獨自坐在走廊上，拿紗線纏繞手指，不知在玩什麼遊戲。她自顧自地唱歌，但當我踏出電梯，她便停止哼唱，盯著我走向臥室。

「妳跟那個侍從在一起幹麼？」蓋布利歐一走，她便問我。

她還沒看見那袋糖果，於是我把它連同常春藤葉一同塞進床頭桌內，先前我已從書房取走一本羅曼史小說，把葉子夾在書頁裡壓平。書房裡書海浩瀚，我就不信有人會發現少了這本。

我一轉身便發現西西莉出現在我房門口，等我給個答覆。如今我們成了姊妹妻，無論這在其他府邸代表什麼意義，我還是無法卸下心防相信她，也對她老是不耐煩、總是咄咄逼人的質問口氣很不滿。

「我跟他在一起沒幹麼。」我說。

我往床上一坐，她挑眉的神韻像在等我邀她同坐。倘若未經對方允許，姊妹妻就無法進入彼此的臥室。這是我聊勝於無的一項隱私，我說什麼也不會放棄。

但她口若懸河，擋也擋不住。「現在蘿絲小姐死了，林登隨時都能來找我們。」她說。

「他人呢？」我情不自禁地問。

西西莉一臉不悅地檢視纏繞指間的紗線，不知惹她心煩的是花繩還是整個處境。「哦，他在她房裡，還把所有人都支開。我去敲門，但他就是不出來。」

我走到梳妝台前，開始梳頭髮裝忙，這樣就不用跟她對話了，況且房裡除了盯著牆壁發呆其餘也沒啥好做。西西莉在門口繼續逗留片刻，無所事事地轉動身體讓裙子起皺。「我沒跟我們的老公說妳跟那個侍從出去。我可以告狀，但我沒有。」她說。

然後她背後拖著一條鮮紅的紗線，蹦蹦跳跳地走了。

那晚林登進了我的閨房。

「萊茵？」只成門口一道暗影的他輕聲呼喚我。

夜已深，我在黑暗中獨自躺了幾小時，硬起心腸面對打從一開始我就清楚不好過的漫漫長夜。雖然蘿絲與世長辭，我卻一直希望聽見她從走廊盡頭發出的聲音，像是對侍從大聲嚷嚷；叫我過去幫她梳髮、陪她聊聊這世界。沉默令人發狂，或許這就是為什麼我沒有假寐或是拒人於千里之外，而是為林登掀開床單。

他關了房門，爬上我的床。我感覺到他鑽到我身旁，冰涼纖長的手指貼著我的雙頰。他進一步想取走我的初吻，最終卻吻不下去。他開始啜泣，我感受他的體溫和氣息。「蘿絲。」他說。那是哽咽驚恐的嗓音。他把臉埋進我的肩膀，任自己被淚水淹沒。

什麼是悲傷，我懂。父母去世之後，我有好多個夜晚就像這樣。所以我就這麼一次沒抗拒他，允許他在我床上尋求庇護，讓他在最脆弱的時分將我緊擁。

他抵著我的睡袍尖叫，叫聲朦朧不清。好可怕的聲音。我感覺他震動的嗓音直達骨髓，就這樣持續了約莫幾個鐘頭，然後他的呼吸變得粗嘎但是平穩，緊抓我睡袍的手也鬆了，我知道他睡著了。

接下來的夜裡，我時睡時醒。我夢見槍響、灰衣，和蘿絲變色的嘴，最後終於睡得較沉，等被轉動門把聲驚醒時，已是早晨。柔和的晨光與早起鳥兒的啁啾聲瀰漫房內。

蓋布利歐端著我慣用的早餐托盤進來，但一見林登在我床上便止步不前。林登不知在夜裡何時翻身背對我，如今他微微打鼾，一條胳臂懸在床墊邊緣。

蓋布利歐照我指示的地方擺放早餐，只是從他的表情，我讀不出他內心的想法；不知怎地，他看起來跟跛腳瘀傷的那天一樣哀戚。我猜不透他為何一臉受傷的表情，後來才恍然大悟，猜想他是如何看待此事。蘿絲屍骨未寒，但不到一天的時間我就取代了她的位置。但這又與他何干？反正他自己也說侍從沒一個真的喜歡蘿絲。

我以嘴型默示對他送早餐的感謝，他點頭離去。晚一點，或許在書房跟他碰面時，我再向他解釋。我漸漸意會到蘿絲真的走了，感覺馬上會需要一個可以傾訴的對象。

我躡手躡腳地下床，最好還是讓林登繼續睡。他昨夜很難熬，而我前幾晚睡得相對安穩。我靜悄悄地把床頭桌的抽屜拉開，從紙袋裡取出一顆六月豆，然後走向窗畔。窗子還是打不開，但窗台夠寬，可以坐人。

我一邊坐著欣賞花園景觀，一邊吮吸糖果，糖果的綠宛若窗底下刈過的草坪。從這頭放眼望去，水池的景色一覽無遺；我看見穿著侍從的制服的人手拿長長的網子劃過水面。池水反照晨光，碎成鑽石狀。我想起紐約碼頭沿岸可以看見的海洋。很久以前那裡曾是海灘，但如今只剩阻絕海水的水泥防波堤。你可以把五元硬幣投進鏽蝕的望遠鏡，一路瞭望至自由女神像或其中一座禮品店島，島上五光十色、販賣目不暇給的鑰匙圈、多的是拍照留念的好機會。你可以沿著碼頭搭乘雙層渡輪，同時導遊會講解數百年來城市風光的演變。你可以偷偷鑽出欄杆底下、鞋子脫掉、把赤腳伸進灰濛濛的水中，水裡滿是海鹽和不宜食用的魚——漁夫捕魚純屬娛樂，捕了又放生。

大海總教我心神嚮往，把手或腳伸入水面，知道自己觸碰的永恆，連綿不絕、周而復始。海底的某處躺著多彩日本的遺跡，和蘿絲的最愛印度，那些都是無法倖存的國度。這塊孤單的大陸是僅剩的唯一，黑暗的海水如此神祕、如此誘人，相較之下這明亮的池水反倒顯得太過輕佻。潔淨、閃亮、安全無虞。不曉得林登有沒有碰過海水。不曉得他知不知道這色彩繽紛的樂園其實是個謊言。

蘿絲離開過這裡嗎？她談論世界的口吻就像親眼目睹一般，但事實上她又曾離開過香橙園多遠？但願現在她與生氣蓬勃的島嶼和大陸同在，有好多語言要學，還有大象可騎。

「再會。」我一面低語，一面用舌頭轉動口中的糖果。糖果嚐起來有薄荷味。但願她也有取之不竭的六月豆可以享用。

床上傳來喘息聲，只見林登翻身仰臥，以手肘撐起上半身。他的鬈髮蓬亂，腫腫的雙眼目光困惑。我們一度相望，但看得出來他眼神很難聚焦。他似乎在遙望遠方，我不免懷疑他還沒睡醒。夜裡有時他會睜大雙眼看著我，然後又昏昏入睡，嘴裡念念有詞，說什麼修枝用的大剪刀、蜜蜂危險的話。

這時一抹虛弱的微笑捎上他的唇邊。「蘿絲？」他嗓音沙啞地說。

然後他整個人看起來心力交瘁，想必是清醒了一點。我凝視窗外，不知該如何自處。我一來替他感到難過，但比同情更強烈的情感是憎恨。恨這裡，也恨縈繞我夢中揮之不去的槍響。為什麼我就該安慰他，難道光憑我跟她亡妻一樣有頭金髮？我也失去所愛之人啊，那誰來安慰我？

他頓了好久才說：「妳嘴是綠的。」

他坐直身子。「妳的六月豆是哪兒來的？」他問我。

我不能告訴他真相。我可不想冒險又害蓋布利歐惹上麻煩。「前幾天蘿絲從她臥室碗裡抓來給我的。」

「她很喜歡妳。」他說。

我不願跟他討論蘿絲。既然過了夜晚，我就再也不是他的慰藉。夜裡我們都很脆弱，我也比較寬容；可是如今白晝降臨，一切又變得清晰。我仍是他的囚徒。

然而我也不能冷血到底。想要取信於他，就無法顯露內心的不屑。「你游泳嗎？」我問道。

「不游，妳喜歡接近水哦？」他說。

小時候我在父母的呵護下平安成長，會到當地體育館的室內泳池游泳、潛水穿環，或想辦法在翻筋斗比賽中贏過我哥。我上回去那裡已是好多年前的事了。後來世界就變得太過險惡。城裡唯一一座實驗室被炸毀後，一夕之間許多人飯碗沒了，發明解藥的希望也跟著泡湯，情勢開始每況愈下。人們曾對科學抱持樂觀的態度，相信解藥很快就能問世。可是年復一年，數十個年頭過去了，新一代仍不斷凋零。而希望，與全人類一樣，也正在疾速滅絕。

「還不錯。」我說。

「那我得帶妳去水池，妳以前一定沒見識過那種玩意兒。」林登說。

從這頭望去，水池並沒有什麼特別之處，但一想到沐浴泡泡對我肌膚產生的效果，和圍繞西西莉婚紗閃爍而不墜的發光體，我就知道在林登．艾許比的王國，有些東西其實暗藏玄機。

「好啊。」我說。這是實話，我好想去侍從撈去水面浮物的地方。雖然那不是自由，但也應該跟自由相去不遠，讓我可以自欺欺人。

儘管我裝作對水池興趣盎然的模樣，他仍盯著我瞧。

「如果我要妳過來陪我坐一會兒，這個要求算不算太過分？」他說。

算。這個要求太過分。光是我人在這裡就已經夠委屈的了。不曉得林登有沒有意識到他對我欺人太甚。但倘若我顯露一丁點的厭惡，這輩子就休想離開這一層樓。我別無選擇，只能唯命是從。

我想到一個令我自在的折衷方案，那就是把早餐托盤端到床上、放在我倆中間、再盤腿坐在他面前。「早餐是你睡覺的時候送來的，你該吃點什麼吧。」我說。我掀開餐蓋，盤中是點綴新鮮藍莓的鬆餅，莓果比家鄉雜貨店賣的要藍多了。羅恩會說別相信顏色這麼鮮亮的食物。不曉得這些莓果是不是種在眾多園子的其中一座，這是不是土地遭受化學污染前，水果原本的樣貌。

林登拿起一塊鬆餅，擱在手心端詳它。我認得那個眼神。爸媽過世時，我用餐前也是這副德性。食物好像是一團漿糊，好像根本沒有存在的必要。我情不自禁，拾起一顆藍莓、移到他唇邊。就是受不了別人提醒那段悲慘的失親之痛。

他一臉驚訝，卻還是吃進嘴裡，並微展笑顏。

我又拿一顆藍莓給他，這回他握住我的手腕，但力道不如我預期的大，而是軟弱無力，一嚥下藍莓他便鬆手。然後他清清喉嚨。

我們結婚將近一個月了，但這是婚禮過後我第一次能將他看個仔細。或許是因為悲戚和他眼周紅腫的皮膚，他看起來似乎不會害人。甚至很善良。

「喏。味道不差吧？」我說著說著也自己吃了顆藍莓。它嚐起來比我平常吃的要甜得多。我取走他手裡的鬆餅、撕成兩塊，一人一半。

他小口啃咬、吞嚥鬆餅，彷彿進食是件痛苦的事。有好一會兒，我倆就這樣靜默用餐，唯一的聲音是戶外小鳥的啁啾和兩人的咀嚼聲。

等餐盤裡的食物吃完後，我把柳橙汁遞給他。延續之前行屍走肉的用餐方式，他接過玻璃杯，垂著濃濃的睫毛，有條不紊地大口吞嚥。我暗自揣想：糖分對他有利。

我不該在乎他的感受。但這對他有好處。

「萊茵？」有人敲我房門。是西西莉。「妳醒了沒？這是什麼字啊？羊什麼穿刺什麼的？」

「羊膜穿刺術。」我回應她，教她怎麼唸。

「哦，那妳知道這是用來檢查嬰兒缺陷的？」她又問我。

我當然知道，畢竟我的父母生前同在分析胚胎跟新生兒的實驗室工作。

「這麼好哦。」我說。

「出來嘛，我窗外有個知更鳥窩。妳過來看嘛。鳥蛋好漂亮哦！」她很少這麼渴望見我，但我也發現她不喜歡人家對她閉門不見。

「我換好衣服再去找妳。」我說，等待門外變得靜默，因為這意味著她已離開。我拾起托盤，放在梳妝台上；我納悶的是林登會在這裡待多久。我開始忙著梳髮，拿髮夾把頭髮紮在腦後。我張開嘴巴，看舌頭上的綠色色素是否還在。

林登往後一仰，用手肘撐著上半身，從袖口挑起一根線頭，一副愁眉苦臉的模樣。過了一會兒他才起身。「等等會有人幫妳收托盤的。」他說完就走了。

我泡了個熱水澡，浸在一層浮於水面的粉紅泡沫中。我已習慣泡泡碰到皮膚、啵啵碎裂的感覺。我把頭髮吹乾，換上牛仔褲和觸感宛若天堂的毛線衣。這全是狄德麗的手藝。她為我量身訂作的衣裳總能讓我發光。我在走廊晃了一下，以為西西莉會來找我，帶我去看她的鳥巢，但她就是遍尋不著。

「林登總督帶她去其中一座花園了。」珍娜對我說。我在書房找到她時，她正在翻尋目錄卡。今天她的嗓音聽起來比較嘹亮，沒那麼陰鬱。她講完話甚至還願意看著我，噘起嘴像在考慮要不要再多說什麼。然後她又將目光移回卡片。

「妳為什麼叫他林登總督？」我問她。沃恩戶長在婚禮當天的晚宴向我們解釋因為他是一家之長，所以大家要稱他為戶長，但我們應該直稱丈夫的名字以表親近。

「因為我恨他。」她說。

她話裡不帶敵意，也沒有戲劇性的爆發，但灰色的眼眸透露她不是隨口說說。我環顧四周，確定沒人聽見她說話。書房裡空蕩蕩的。

「我懂，但也許學著遷就他，日子會比較好過，也能得到多一點自由。」我說。

「做不到，我已不在乎自由了。就算死在這裡也無所謂。」她說。

她凝視著我，我看見她嚴重的眼袋。她兩頰凹陷、輪廓鮮明。幾週前披上婚紗的她，雖然神情孤獨但美麗依舊；現在看起來卻憔悴消瘦，像是老了好幾歲。她身上有肉桂沐浴乳和嘔吐的氣味。再怎麼說，她婚戒仍戴在手上，象徵我們是姊妹妻，我們在廂型車一起熬過漫長夢魘，現在也共進這個地獄。在黑暗中蜷在我身邊的女孩，說不定就是她。放聲尖叫的，搞不好也是她。

無論她在目錄卡上找的是什麼，終於被她找著了。她默唸走道的號碼以牢記心中，然後關上抽屜。

她晃進其中一條走道，我尾隨在後，見她手指拂掠書脊，輕敲一本書，慢條斯理地將它移出書架。那本書布滿灰塵，封面遭蟲蛀，她翻閱的書頁也泛黃易碎。這些都是二十一世紀或更早以前的著作，但這也沒什麼好稀奇的。電視上老播懷舊電影，節目也多半把場景設在過去。造訪人們許久以前居住的那個世界，儼然成了逃避現實的一種形式。那麼真實與自然的事物，曾幾何時只成泡影。「這裡有許多愛情故事，主人翁要嘛從此過著幸福快樂的日子，要嘛全都同歸於盡。」她笑了幾聲，但聽起來更像啜泣。「結局總脫不了這兩種，對吧？」她說。

她盯著翻開的書頁，看樣子快要崩潰了。我等著見她盈眶的淚水潰堤，但她逞強到底，硬是噙著眼淚。

走道聞起來陳舊地無以復加——泛黃的書頁與霉味，還有別的、某種依稀教人熟悉的氣味。它捎來我家後院的泥土氣息，那兒正是我跟哥哥某晚將財物掩埋的地方。我也因此知道姊妹妻珍娜不似西西莉——從小在孤兒院長大、如今以身為家財萬貫的總督新娘為榮。不。她比較像我，失去了珍愛的事物，也掩埋了自己的過去。

我猶豫不決，不知她會不會洩露我贏得林登信任然後逃跑的計畫。她看來似乎聽天由命，就算在這棟豪宅腐朽也不以為意；但她或許從沒想過可能有路可逃。

但要是我錯了呢？萬一她出賣我怎麼辦？

就在我天人交戰的同時，西西莉走進書房，怒氣沖沖地往桌前的一張椅子上坐。「哎唷，真是浪費。」她說。接著，她像是擔心我們耳背似地再補一句：「真是白白浪費！」

她說話的時候，蓋布利歐端著托盤進來了，盤上有杯茶，還有裝了幾片檸檬的小銀碗。

我往西西莉對面那張椅子一坐，只見她端著茶杯，不耐煩地等蓋布利歐將它盛滿。珍娜默默地加入我們，最後終於把敞開的書從她面前移開。她頭也不抬就拿了片檸檬開始吸吮。

「林登邀我去玫瑰園。」西西莉邊說邊啜飲一口茶，然後皺起鼻頭。「沒加奶精又忘了加糖。」她對蓋布利歐發飆，後者保證馬上帶糖跟奶精來。「總之呢，我以為他總算有當老公的樣子了，懂我意思嗎？也該是時候了。沒想到他只是帶我欣賞什麼一百年前從歐洲進口的向日葵棚架，滔滔不絕地談什麼北極星。歷史多悠久啦、怎麼幫迷途的探險家找到回家的路。也太令人失望了吧！他甚至連一下都沒親我！」她說。

我回憶和林登在破曉時分，於同一座花園獨處的片刻。他談的話題不外乎是錦鯉以及世界舊有的面貌。我這才發現他一如亡妻，喜歡沉醉於遙遠的地方。不曉得這是不是他們相愛的原因，又或者在修剪整齊的花園圍牆內長大，使他們對無緣親見的事物心生嚮往。

但我也是同個德性，不是嗎？我坐困愁城，唯一用來自我安慰的就是沉醉於飄渺的世界舊貌。一陣痛楚掠過心頭——這是什麼感受？是憐憫？是同情？亦或心有同感？

無論是什麼感受，它都不該出現。我沒有理由和林登．艾許比感同身受。我完全沒有理由為他動情。

珍娜在吸吮檸檬的果肉，吸完後便把無肉的外皮擱在桌上。她翻了一頁，在小說中渾然忘我。這麼說來，我跟她都在書海裡沉浸徜徉。

西西莉對我說：「林登不肯碰我。可是他吻了妳。」這句話是種指責。

「妳說什麼？」我問她。

她激動地猛點頭，彷彿這是世上再自然不過的舉動。她那褐色的雙眼突然瞪大，變得炯炯有神。「我看見他今早從妳房裡出來。我知道他跟妳共度春宵。」

我不知該作何反應，也不知姊妹妻之間的分寸要怎麼拿捏。「閨房裡的事應該是個人隱私吧。」我勉強將這幾個字說出口。

「哦，別假正經了。你們圓房了沒？」西西莉屈身前傾，「感覺是不是美妙極了？我敢說一定是。」

蓋布利歐回來了，他把一壺牛奶擱在桌上。西西莉從他手中接過糖罐，把將近半罐糖倒進杯裡。她又啜飲一口茶，我可以聽見砂糖在她齒間嘎嘎作響。她在等我答覆，但房裡只能聽見珍娜從檸檬片中吸出元氣，以及蓋布利歐清清喉嚨、準備離開的聲音。

我感覺一波波熱浪襲擊兩頰，但分不清這是尷尬還是憤怒。「這完全與妳無關。」我吼道。

珍娜從書的後方探出頭來，大概是好奇心作祟，又說不定感到有趣。西西莉眉開眼笑，拿各式各樣私人的問題對我狂轟猛炸，問題在我腦裡直打轉，轉得我再也無法正視她。我無法正視這兩個女孩，她們沒有對我伸出友誼的手、沒有給我帶來安慰、也絕不會欣賞林登分享的那些事。她們哪會在意北極星？一個在歷史悠久的卷冊中為自己掘了個安全的小墳，另一個為受困此地歡欣鼓舞。我跟她們道不同，不相為謀。但願我奔出房門時，兩腿能跑快一點。

到了走廊上，書房聞起來就像在小牆龕裡燒的薰香，煙霧繚繞、散發木頭和香料的氣息。就在蓋布利歐踏進電梯、門正準備關上的瞬間，我叫了聲：「等等！」然後跟他一同進電梯。電梯門關上，我壓著膝蓋，像是跑完一哩路似地氣喘吁吁。蓋布利歐按下按鈕，我們開始下樓。

「妳要知道，一直溜出妻妾樓早晚會被人發現的。」雖然話這麼說，但他語氣中不帶威嚇。

「我辦不到。」我上氣不接下氣地說，但使我喘不過氣的不是百米衝刺。我胸口一揪，視角變得模糊。「我討厭這裡，討厭這裡的一切。我……」我嗓音突變，同時認知到即將發生什麼事。我的身體要做一件打從我被塞進廂型車後座就巴不得要做的事；只不過當時我太過驚恐，在這座府邸醒來又太過憤怒。

蓋布利歐也察覺到了，因為他在我發出第一聲啜泣時，把手伸進胸前口袋，遞給我一條手帕。

電梯門開了之後通往一條走道，走廊上充斥著從廚房傳來的人聲鼎沸，夾雜著蒸籠蝦、甜甜的又剛出爐的食物香味。蓋布利歐按下按鈕，電梯門關了，但這回車廂沒動。「想不想聊聊？」他問我。

「你不用回廚房幹活兒嗎？」我一邊擤鼻涕一邊說。我盡可能別哭哭啼啼、可憐兮兮，問題是知易行難，手帕太過濕黏，擦不乾我持續湧出的淚水。

「不要緊。他們會以為我被難伺候的西西莉纏住了。」他說。無禮又頤指氣使的小西西莉很快就取代蘿絲的地位，在佣人中竄升為最惹人厭的妻子。我跟蓋布利歐盤腿坐在地上，他耐心等我不再抽噎，開口說話。

電梯裡挺不賴的。地毯破舊但乾淨。牆壁是蔓越莓紅，鑲飾維多利亞風格的花樣，使我想起爸媽的床罩以及我窩在裡面有多安全。我心裡隱約記起那種久逝的安全感。我在這兒同樣感到安全，但潛意識裡仍擔心隔牆有耳——頭頂的擴音器會不會隨時冒出沃恩戶長的聲音，恐嚇他讓我如此越規逾矩。我等了一下，沒聽見聲音，心煩意亂之下也顧不得那麼多了。

我開始話說從頭。「我有一個哥哥，羅恩。爸媽四年前過世，於是我們輟學去找工作。他輕而易舉就能在工廠找到高薪的工作；但我會的技能很少，實際上一無是處。他認為我獨自外出很危險，所以我們盡量形影不離，而我最後總是屈就於工廠接線生的工作，薪水微乎其微。日子雖然過得下去，但大不如前，你曉得吧？我想多做點什麼。

「幾個禮拜前我在報上看到一則廣告，招募骨髓捐助者並提供報酬。大概是為了找出病毒生成原因，進行新的一輪篩選。」我翻轉手裡的手帕，透過模糊的視線端詳它。其中一角緋紅色的刺繡看起來像朵花，但有別於我所見過的花，它茂盛的矛狀花瓣群聚在一塊兒。它變得模糊不清、相互交疊。我甩甩腦袋，讓視線不再朦朧。

「我一踏進實驗室看見其他女孩，就發覺這是個陷阱。」我勾勒回憶時，手指也不由自主彎成爪狀。「我跟他們拚了，又抓又咬又踢，但全都不管用。他們把所有人趕進一輛廂型車。我不曉得車子開了多久。好幾個鐘頭吧。有時候停車，車門開了之後有更多女孩上車。車裡實在好恐怖。」

我想起了伸手不見五指的黑暗。沒有圍牆、沒有起伏。我雖然一息尚存，但也跟死了無異。聽著其他女孩在我周圍、頭頂和心裡的呼吸聲，而那就是我的整個行星地球。只有那些駭人的哽咽氣息。我以為我會發瘋。或許我真的瘋了，因為此刻我好像聽見採花賊射擊的子彈聲，還為此嚇了一跳。火花在我身旁閃逝。

電燈變得閃爍不定，蓋布利歐猛一抬頭。這時又有一聲巨響，不是槍響，而是某種機械聲。我們的電梯車廂開始搖晃，然後電梯門滑了開來，蓋布利歐拉我起身，我們匆匆步上走廊。但這不是廚師通道。它更陰暗，而且瀰漫消毒藥水味。霓虹燈在天花板上掙扎，我可以在每步落地前看見鞋子暗淡的倒影。

「我們一定到地下樓層了。」蓋布利歐說。

「什麼？怎麼會？」我說。

「暴風雨。有時電梯會全移到地下室防患未然。」他說。

「暴風雨？前一秒外面還風和日麗欸。」我說，同時慶幸語氣不再充斥著恐懼。我也停止啜泣，只剩不頻繁的抽噎聲。

「沿岸常有暴風雨，有時不知打哪兒冒出來的。不過別擔心，如果是颶風，一定會先聽到警報器。強風擾亂電力、害電梯故障的事也並不罕見。」他說。

颶風。我心底某處浮現電視轉播疾風怒轉、摧毀房舍的畫面。被吹跑的總是房屋，有時狂風會捲走部分柵欄或把樹連根拔起、捲跑穿草原色洋裝的尖叫女主角，但受害的總是房屋。我幻想颶風襲擊府邸，將它吹得四分五裂。不曉得到時候我逃不逃得了。

「所以這是地下室？」我說。

「應該吧。我是說，我沒來過這一區。只進過暴風雨避難所。沒經沃恩戶長批准，誰也不許下來。」蓋布利歐說。他神情緊張，我知道沃恩戶長正是他不安的原因。蓋布利歐因為我違規而被處罰，跛腳走進我的臥房、悶悶不樂又渾身瘀傷；一想到這裡我就於心不忍。

「趁還沒被人發現先回樓上吧。」我說。

他點點頭。問題是電梯門關了，他在控制板上刷鑰匙卡，但門就是不開。他試了好幾次，最後只能搖頭。「門打不開，電梯最後會上升，不過在此同時還有另一部，或許我們可以試試。」他說。

我倆開始穿越這條長廊，不可靠的照明設備時斷時續、對我們嘶嘶叫。主廊分成好幾條更暗的走道，通往緊閉的房門；我一點也不想知道終點為何。我再也不想踏進這層樓。它觸發我回憶中、夢魘裡最不愉快的情節，那裡有在廂型車裡被滅口的女孩、採花賊摀住我的嘴，拿刀抵著我的喉嚨。光是待在這裡就令我手心冒汗。後來我才恍然大悟，這裡就是婚禮前的午後，醫生待的地方。狄德麗帶我進這條長廊，領我入一個房間，我被一個男的拿針扎了一下便昏了過去。

回憶那段往事害我冒起雞皮疙瘩。我非得離開這兒不可。

我身旁的蓋布利歐繼續前行，一眼都不看我。他壓低音量說：「妳剛跟我說的，我覺得很可怕。還有妳更早之前說的，說妳討厭這裡？這我都懂。」

我也猜他會懂。

「是沃恩戶長對不對？是他把你打傷的？是我不好，誰叫我要擅自出房門。」我說。

「一開始妳本來就不該被鎖在房裡。」他說。

我馬上變得想更加認識他，已開始把他的碧眼和銅棕色頭髮視為友誼的標誌，而且也這麼做好一陣子了。令我高興的是，我們終於涉及了比午餐吃什麼、我在看什麼書，或是我喝茶要不要加點檸檬（而我從來不加）更重要的話題了。

我想更加了解這個人，也想把更多關於自己的事向他傾訴。那個真實、沒出嫁的自己，那個尚未見識府邸內部的自己——還住在龍潭虎穴但保有自由而且知足常樂的自己。我才一張口，他便阻止我，拽住我的胳臂往陰暗的側翼走廊走。我還沒來得及抗議，就聽見哐啷哐啷的，有東西靠近。

我們緊貼著牆，試著跟籠罩我們的陰影合而為一，想辦法用意志力讓眼白變得黯淡。

人聲逐漸逼近。「……火葬當然不可行……」

「把這個不幸的女孩毀了真可惜。」有人嘆息；有人咂嘴。

「如果可以救人命，這是為了全民之福啊。」

人聲並不耳熟。假如我的餘生都在這座府邸度過，或許會認得每個房間、每位侍從。但當人聲逼近，他們的穿著看來並不像侍從。他們穿了一身白，戴著我爸媽當年工作戴的白色兜帽保護頭部，外加塑膠罩遮臉。生化危機服。他們正推著一輛手推車。

蓋布利歐抓住我的手腕捏了一下，我覺得莫名其妙。直到推車靠近、我看見上頭擺了什麼，這才晃然大悟。

床單蓋著一具屍體。蘿絲的金髮從推車邊緣垂下。還有她冰冷蒼白的手，以及依舊塗著粉紅指彩的指甲。

第七章

我屏息等他們經過。等俐落的步伐、東搖西晃的輪子遠去，似乎要等上一輩子。我們又靜候一會兒，確定安全無虞，我才猛然大口吸氣。

「他們要把她帶去哪兒？」我喘著氣說。

在近距離的黑暗中，蓋布利歐憂傷的面容清晰可見。他搖搖頭，說：「沃恩戶長一定是打算拿她來當研究，多年來他一直在尋找解藥。」

我嗓音沙啞地說：「可是，那是蘿絲欸。」

「我知道。」

「林登絕不會答應的。」

「也許不會吧。我們也不能跟他打小報告。我們沒見過這些東西，也根本沒來過這裡。」蓋布利歐說。

我們找到了電梯，返回廚師走道，那裡金屬相碰、碗碟相擊聲不斷，主廚吼著說某某某是個偷懶的渾蛋。笑鬧喧囂四起。這群人完全不知他們曾經非常厭惡的一位妻子剛在樓下走廊留下迂迴冰冷的軌跡。

「嘿，金髮妹來了！」有人嚷道。這三個字儼然成了我在廚房的官方綽號。雖然新娘不該離開妻妾樓，對於我在他們的工作場所閒晃，這些人似乎並不介意。我不會要求他們做任何事，蓋布利歐說這點林登的亡妻和那個小傢伙（他們稱她為搗蛋鬼）絕對做不到。「金髮妹，妳的臉怎麼啦？全都紅了。」

我撫摸眼睛底下一觸即疼的皮膚，想起先前掉的淚水。淚眼汪汪彷彿是一百萬年前發生的事了。

「我對蝦蟹貝類過敏。」我回嚷道，並把濕答答的手帕塞進口袋。「腥臭味一路飄到妻妾樓，把我眼睛都薰腫了。你們想害死我是不是？」

「她堅持要親自下樓跟你們說。」蓋布利歐樂於助人地說。

我們走向廚房的同時，我竭盡所能地面露嫌惡，但事實上這氣味使我想起老家，把我的食慾都喚醒了。

「我們有比妳飲食需求更大的麻煩要面對。」主廚邊說邊從滿是汗水的臉上撥走一綹頭髮，朝窗外點了一下頭。天空是詭異的青色，電光穿雲而出；但不到一小時前，戶外還是陽光普照、處處鳥語。

有人給我一小盒硬紙板裝的草莓。「今早才送來的，正新鮮呢。」站在窗畔的我和蓋布利歐一人抓了一把。它們和藍莓一樣，色彩比我習慣的鮮亮許多。甜美的汁液在我口中滿溢，籽兒卡在我的臼齒間。

「暴風雨季到了嗎？好像來得有點早。」蓋布利歐問道。

「今年的暴風雨可能威力很強，說不定會達到三級颶風。」一位廚子這麼說，他跪在烤箱前，對著正在烘焙的食物皺眉。

「什麼意思？」我邊說邊把另一顆草莓放入口中。

「意思是說妳們三位公主會被關進地牢。」主廚嘶聲回話，當她把大手用力搭在我肩上，放聲大笑，我才發現那是在唬我的。「只要是跟老婆有關，總督一定防患未然，把妳們照顧得無微不至。假如風勢過強，妳們就全都得移駕到避難所等風雨遠離。金髮妹，妳安啦，我猜那裡住起來一定舒適愜意，我們其他人會待在這兒幫妳們煮飯送餐。」她說。

「暴風雨來了，你們還要工作？」我問道。

「要啊，除非停電。」

「別擔心，房屋不會被吹跑的。」蓋布利歐淺淺一笑，意味著摸透了我真正的盼望。我倆互換一個眼色，他猶豫的露齒笑容花朵般地綻放，這是我第一次看見他如此燦爛的笑顏，於是我也回以微笑。

可是幾分鐘後，和愁雲慘霧同等鬱悶的陰霾便將我們籠罩，陪著我們搭電梯回妻妾樓。我倆中間有部放午餐托盤的手推車。姊妹妻享用龍蝦濃湯，一小盤烤雞則是我的，因為我照先前的說詞對蝦蟹貝類過敏。我倆一語不發。我盡量別去想蘿絲，但眼前只看見她被推走時，露出屍布的那隻了無生氣的手。幾天前才幫我編髮辮的手。我想起林登眼中的哀傷；倘若他得知自己青梅竹馬的愛人、那個在香橙園餵馬吃糖的小女孩，就在這棟房子裡被解剖，又會說些什麼？

獨自待在臥房的我，午餐都沒碰，只是泡了個熱水澡，在泡泡中清洗蓋布利歐的手帕，再將它高舉面前。我試著想像另一個時空，花兒長得像手帕上的刺繡那樣——有爆發力，輪廓鮮明，危險又可愛。躺臥在看似睡蓮浮葉的葉子上。我將這幅畫面烙印腦海，然後到書房找關於它的資料。我找到最接近的植物是蓮花，它曾經生長在東方國度，可能源自一個名叫中國的國家。我要參照的只有《水生植物生態年鑑》其中一頁的某個片段；可惜年鑑介紹的是睡蓮，或許是手帕上花朵的近親，但不完全像同，也不像它那麼珍稀。查了幾個小時，我還是找不到相似度高的植物來比對。

我問了蓋布利歐，他說手帕是侍從們從一個專放餐巾布的塑膠桶拿來的。至於是誰訂的、打哪兒來的，他並不知情，不過手帕我可以留著，因為存貨還有好幾十條。

接下來的日子裡，蓋布利歐會趁其他妻子仍在睡覺時送早餐來。他會把六月豆藏在捲起來的餐巾內或餐盤下，有次還夾在煎餅裡。他把草莓切片排成艾菲爾鐵塔和有矛狀桅杆的小船。他會把托盤擱在我的床頭桌上，就算我還在睡，也能在夢鄉感覺到他的存在。我感覺暖呼呼的緞帶伸進我的潛意識，為此感到安全。一睜開眼，面前就是早餐托盤的銀蓋，這樣我就知道他人在附近。如果我在清早醒來，便會和他低聲交談，在黑暗中分辨不出彼此的面容也不要緊。他說從有印象起自己就是個孤兒，而沃恩戶長在一場拍賣會上把當年九歲的他買了下來。「事實沒有聽起來那麼糟，在孤兒院他們教你烹飪、縫紉和打掃等技能，還會保留像是成績單的玩意兒，好讓有錢人出價競標。狄德麗、愛兒跟阿戴爾都是這樣標來的。」蓋布利歐說。

「你對父母一點印象都沒有？」我問他。

「沒什麼印象，我連府邸外面的世界是什麼樣子都快不記得了。」他說。聽到這裡，我心一沉。他跟我說，沒人離開過這塊地，就連佣人也不例外。吃的、穿的、任何你想像得到的，他們都用訂貨的方式採購，但從不親自上店裡購物。唯一能離開的只有運貨的卡車司機、沃恩戶長，還有林登——如果他想的話。我曾在電視上看過其他總督帶大老婆參加社交場合，如：競選、開幕剪綵儀式等諸如此類的活動。但蓋布利歐跟我說林登並不熱中社交。他是個隱遁居士。這也不奇怪吧。你就算花上一整天的時間，還是沒辦法從這塊土地的這頭走到彼端。不過我沒放棄希望。林登常帶蘿絲出席派對，她自己也說只要我成為他偏愛的妻子，無論要到天涯海角，他都會帶我去。

「你懷念嗎？懷念自由。」我說。

他笑了幾聲。「在孤兒院也沒自由到哪兒去，但我倒是真的很懷念海灘，以前望向窗外就能看見海灘了。院方有時會讓我們外出。我喜歡看船隻出航。要是我能自由選擇職業，大概會想在船上工作。說不定會造一艘船。可是其實我連一條魚都沒捕過。」

「我哥教過我怎麼釣魚。」我說。我們會坐在水泥防波堤上，雙腳在邊上懸蕩。我記得釣線強勁的拉力，繞線輪不受控制地放線，羅恩接手後教我怎麼把線收回來。我仍記得那條魚充滿肌肉的銀色身軀，好似一根舌頭在魚鉤上翻動，眼睛瞪得老大。我把牠從魚鉤上解開，試著用手抓牠，但牠從我手中蹦開，躍進海裡、濺起水花。就此消失，去造訪法國或義大利的廢墟，為我向這些國家致意。

我試著把那次的經驗表演給蓋布利歐看，雖然我把釣竿拉扯的動作和收線釣魚的可悲企圖模仿得很彆腳，他仍然當個聚精會神的好觀眾。我模仿魚躍海中、濺起水花的那一段，他還噗哧一笑，我也在黑暗的房裡輕聲笑了。

「抓到的魚妳有沒有吃過？」他問道。

「沒。能食用的魚都在遠洋，要開漁船去捕。愈接近陸地，海水就受到愈多污染。所以我們純粹是釣好玩的。」

「聽起來很好玩。」他說。

「其實有點噁。」我這麼說是因為想起冰冷黏滑的魚鱗和充血的魚眼。羅恩封我為史上最糟的漁夫，還說好險這些魚不能吃，因為要是我們以魚肉為食，又由我來掌釣，那我們就得喝西北風啦。「但這是我哥工作之餘少數的娛樂。」

伴隨哥哥回憶而來的思鄉之愁沒那麼苦。有蓋布利歐作伴、一盤煎餅和藏在餐巾內的六月豆，就沒那麼苦了。

林登白天對我們視而不見，但開始每晚邀請他的三位妻子共進晚餐。他與我們分享公公的研究、科學家和醫生有多樂觀，相信終會找到解藥。他說公公正在西雅圖開會，與其他研究學者交流筆記。我暗自納悶，不知戶長的筆記是否跟蘿絲有關。不知他為她取名為受試者A或受試者X。不知她的指甲油彩是否仍在。西西莉一如往常，對我們丈夫所說的一切總是興致勃勃。珍娜仍舊一看見他就一臉嫌惡，不過至少開始進食了。我的演技愈加精湛，可以假裝對他非說不可的話感興趣。用餐的同時，電力在暴風的侵襲下時斷時續，且偶有夾雜陣雨；不然的話，這應該是個美好的午後。

有天傍晚林登異常地神采飛揚，宣布為了紀念我們結婚兩個月，要舉辦一場慶賀盛宴。而且要隆重其事，飾以彩色燈籠，並請樂團現場演奏。他甚至讓我們決定要在哪座園子辦晚宴。

「香橙園如何？」我說。正在收餐盤的蓋布利歐和另外兩名侍從聽了臉色發白，目光凝重地互換眼色。他們知道我的提議非同小可。他們曾為在香橙園裡虛擲光陰的蘿絲送過多次餐點茶飲。那是她最愛的地方，她和林登就是在那兒舉行婚禮。有天午後她用舌頭轉動一顆六月豆，悵然若失地跟我說，他們初吻的地點也是在那兒。而她二十歲生日的一週後，林登也是在那兒發現她失去意識、面色發白，在一棵柳橙樹的樹蔭下嘴唇發紫、不停喘氣。他就是在那一天面對她大限將至的噩耗，以及自己救不了她的悲劇。就算吞了全天下的藥丸藥水，她也撐不過稍縱即逝的幾個月。

在香橙園辦派對。林登馬上面露痛苦，但我毫不動搖。他對我造成的傷痛，我永遠也無法等值奉還。

狀況外的西西莉說：「好耶！哦，林登，我們從沒見過那座果園！」

林登拿餐巾輕拭嘴巴，然後把它擱在桌上。「我覺得在泳池畔舉辦比較有趣，天氣暖和，適合游泳。」他輕聲說道。

「是你說讓我們挑的呀。」珍娜說。這或許是她第一次對他說話。每個人都把目光轉向她，就連侍從也不例外。她的眼神從我這兒飄到林登那頭，優雅地咬了口叉子上的牛排，並說：「我投香橙園一票。」

「我也是。」西西莉。

我點頭表示贊同。

「看來是一致通過了。」林登對著他的湯匙說話。接下來的晚餐非常靜默。餐盤全被收走、上甜點、再上茶。然後林登把我們打發走，因為他頭痛而且需要跟他的思緒獨處。

「妳很了不起。」蓋布利歐護送我們進電梯時，對我竊竊私語。我在電梯門關上前對他綻露笑顏。

我上樓後立刻回到臥房。我躺在床上，一邊吸吮藍色的六月豆，一邊遙想大西洋怎麼在我和羅恩的赤腳下輕舞波浪。我遙想碼頭邊的渡輪，看它往地平線那頭劃出一條水路，以及我在自己的小小世界多有安全感，就算生命有如浮雲朝露，我仍覺得活著就是福氣。這是我死後理想的葬生之處，但願我的骨灰能撒入大海。我想沉入雅典的廢墟，隨波逐流到奈及利亞，在魚群和沉沒的船隻間游泳。我會常回曼哈頓，好聞聞那裡的空氣，看看我的雙胞胎哥哥過得好不好。

不過我的孿生哥哥不喜歡討論四年後要發生的事，因為屆時我會與世長辭，而他還有五年可以苟活。不曉得他現在在幹麼，人有沒有出事。不曉得我要多久才能逃離這個地方，或者至少讓他知道我還活在世上。不過在我內心深處一個比那恐怖地下室更黑暗的地方，我擔心自己的屍體會成為沃恩戶長研究的一份素材，而我的哥哥將會永遠無法得知我經歷過什麼遭遇。

為此我並不感到內疚，林登．艾許比正在某處為我晚餐時間說的話暗自悲傷，那也是他活該。

住在這座府邸很難推知日子究竟過了多久，因為日復一日、一成不變，我充其量只是林登的囚徒。我從沒跟哥哥分開過這麼久；從我還是個蹣跚學步的娃兒起，媽媽就叫我和他手牽手，要我們形影不離。我們也乖乖照辦。我們一塊兒走路上學，緊貼著彼此不放，免得老舊樓房的廢墟和廢棄車輛的陰影中蟄伏危機。後來我們也一塊兒走路上班，到了夜裡、在一個曾經充斥父母身影的黑暗房子，還有彼此的聲音可以作伴。在此之前我和他一天也沒分開過。

我曾以為身為雙胞胎的我們總是能心有靈犀，就算距離十萬八千里，對我而言他的嗓音仍像在隔壁那般清晰。我們在不同房裡——他在廚房、我在客廳——走動時，一定會彼此交談，以驅離父母辭世的死寂。

「羅恩。」我低語道。但出了臥室絕聽不見我的嗓音，我倆之間連結斷了。

「我還沒死。別放棄我。」

像在回應我似地，門上傳來一聲輕敲。我知道來者不是西西莉，因為敲門聲後沒有緊跟著質問或要求。狄德麗從不敲門，而這個時辰上門的也不會是蓋布利歐。「是誰？」

房門砰地一聲開了，我看見珍娜的灰色雙眸。「我可以進來嗎？」她氣若游絲地問我。

我在床上坐直身子，點了個頭。她噘起嘴，模樣是我見過最接近微笑的一次，並往我床邊一坐。

「妳提起香橙園的時候，我發現林登總督臉色大變，這是為什麼？」她問。

我的直覺要我小心這位陰鬱的新娘，可是正值悲傷低潮的我卻卸下心防——我猜蓋布利歐會用「降下船桅」這個詞，說我允許自己隨波逐流。況且珍娜及肩的頭巾包著她黑色的長髮，她又穿著跟我類似的白色睡袍，看起來是這麼地羞怯無害。這一切讓我希望將她視為姊妹、視為知己。

「因為蘿絲。他倆在香橙園墜入愛河。那是她最愛的去處，自從她生病之後，林登就沒辦法接近那裡。」我說。

「真的假的？妳怎麼知道的？」她問我。

「蘿絲跟我說的。」我點到為止，關於蘿絲向我透露丈夫的一切我隻字未提。他的弱點，我還是自己心裡有數就好，比方說他孩提時期遭受感染差點喪命，導致掉了幾顆牙，金牙就是由此而來。不知怎地，經歷過這些事似乎讓他沒那麼險惡，好像只要時機成熟，我就能制伏他或以計智取。

「怪不得他看起來這麼傷心。」她邊說邊挑衣服下襬的線頭。

「這就是我的目的。他無權把我們拐來這裡，但他大概永遠都不會明白吧。所以我打算像他傷害我那樣讓他心如刀割。」我說。

珍娜望著自己的大腿、嘴唇一扭，我以為她會漾起一抹微笑或咧嘴而笑，沒想到竟換來淚如泉湧。她嗓音突變地說：「我有姊妹在那輛廂型車上。」

她皮膚慘白，輕聲的啜泣淚灑床舖，我也隨之起了雞皮疙瘩。臥室較冷，夢魘變得比我想像中更加駭人，豈料在這座充斥芬芳氣息、園子又格外明亮的府邸，夢魘竟每況愈下。我想起抵達這裡後就對我糾纏不放的槍響。那裡有幾位是珍娜的姊妹，又分別是誰？是第一聲、第五聲、還是第六聲的受害者？

我震驚到無法言語。

「妳提起香橙園的時候，我不清楚是怎麼回事，只看見他大受打擊。我巴不得他傷心，所以才附和妳。他不曉得他奪走了什麼對不對？」她一面抽抽答答，一面用拳頭擦拭鼻子。

「對。」我輕聲同意，並把屬於蓋布利歐的、一直藏在枕頭套裡的手帕遞給她，但她搖搖頭，顯然對這個地方深惡痛絕到就連用這裡的布料擤鼻涕都不願意。

「我只剩兩年的命可活了，現在對人生了無指望。雖然我困在這裡，但絕不會讓他予取予求。要頭一顆、要命一條，但他絕對得不到我的心。」她說。

我想像她冰冷僵硬的屍體被人推進地下室的實驗室，想像沃恩戶長將他的媳婦一個接著一個解剖。

我不知該如何回應，因為她的憤怒我很明瞭。撒謊我是專家，但謊言在這件事上幫不了我。珍娜這個女孩對於自己的未來沒有任何幻想；她知道不會有轉圜的餘地。是不是只有我不願面對現實？

「要是妳逃得了呢？妳逃不逃？」我問。

她聳聳肩，淚眼汪汪的她不可置信地哼了一聲。她反問我：「逃到哪兒？不了，這樣就跟不上潮流了。」她手腕一揮，刻意展示袖口褶邊，然後拿來擦鼻子，看起來一蹶不振。一副骨骸、一只孤魂、一個早已心死的美女。她面向我，眼底依舊流動幾許生機。「妳真的跟他共度春宵嗎？」這雖然是質問，但她的語氣不像西西莉那麼有侵略性。她並不粗魯，只是想知道真相。

「蘿絲死的那晚他到我房裡過夜沒錯，但純粹只是睡覺，沒做別的事。」我說。

她點點頭，嚥下哽在喉頭的話。我搭上她的肩膀，她嚇了一跳但沒退卻。「我真的很難過，他是個爛人，這是個鬼地方。喜歡這裡的只有西西莉。」我說。

「她以後會懂的，她淨讀些懷孕、《印度慾經》之類的書，卻不曉得他會怎麼對她下毒手。」珍娜說。

她說得沒錯。靜如影子的珍娜，其實一直以來都在留意她的姊妹妻，對我們的言行舉止再三思量。

她在我床上坐了好一會兒，嚥下最後幾聲嗚咽、力圖振作。我把放在床頭桌的那杯水給她喝，她啜飲了幾口。「謝謝，謝謝妳在晚餐時間捍衛自我，讓他嚐嚐痛苦的滋味。」她說。

「我也要謝謝妳力挺到底。」我說。她在遁入走廊前回頭看我最後一眼，唇邊浮現的像是嫣然一笑。

我入睡之後作了可怕的夢，夢見明眸美目的悲傷女孩、突然迸出槍響的灰色廂型車，以及打不開的窗戶。到處都是橙花般從樹上跌落的女孩，她們令人作嘔地砰然墜地、劈啪爆裂。

我的思緒不知在夜裡何時潛入更深層的夢境。萬籟俱寂，什麼東西蒙蔽了我的視線。眼前白濛濛的一片，有泥土腐爛和手術手套的氣味。然後穿著生化危機服的沃恩戶長扯開我臉上的罩子。我想放聲尖叫卻又做不到，因為我已經死了，兩眼瞪得老大。他把手術刀拿到我雙乳間，準備一刀劃下去。就在正要皮開肉綻劇痛之際，有個人聲闖進我的夢境。「萊茵。」那人呼喚著。

我上氣不接下氣地睜開眼，心兒在胸口怦怦直跳，轉瞬間在惡夢中斷氣的我起死回生。在清晨的黑暗中，我認出蓋布利歐的碧眼。我呼喚他的名字，一來想知道自己說不說得出話，二來想確定他人真的在這裡。我可以看見床頭桌上早餐托盤散發的銀光。

「妳的手腳一直亂揮，怎麼了？」他低語道。

「地下室。」我低聲回話，拿掌根貼著額頭，結果發現手上淨是冷汗。「我被困住了，哪兒都逃不了。」我坐直身子，打開枱燈。光線太亮，我以手遮眼再猛眨眼，蓋布利歐在我眼前漸漸聚焦，坐在幾小時前珍娜坐著和我分享她夢魘的床邊。「那真是慘不忍睹。」蓋布利歐贊同道。

「但你見過更恐怖的。」我說。而這不是疑問句。

他面色凝重地點點頭。

「像是什麼？」我問他。

「蘿絲小姐懷過小孩，那是一年多前的事了。可惜難產，嬰兒好像被臍帶給勒死。後來總督跟蘿絲小姐將寶寶的骨灰撒在香橙園，不過我懷疑那些根本不是小孩的骨灰。這裡只要有人過世，他們最後的下場總教我匪夷所思。我從沒見過什麼墓園；人死了之後要不直接燒成灰，就是人間蒸發。」他說。

蘿絲懷過小孩。這我從來都不知道。他的骨灰或某種疑似骨灰的玩意兒被撒在橙花中。

「蓋布利歐，我想要離開這裡。」我的嗓音流露出真實的恐懼。

「我在這裡待九年了，這是我歲數的一半。多數時候我甚至不記得外面還有另一個世界。」他說。

「嗯，有的。外面有大海、有出航的船隻、在人行道上慢跑的人、在傍晚點亮的街燈。那裡才是真實世界。這裡不是。」我說。

但我知道他的出身背景。只不過最近我幾乎把這些事統統遺忘。

晚宴如約在香橙園舉行。西西莉整個下午頤指氣使，要可憐的愛兒幫她改禮服尺寸、重上妝，害愛兒忙得焦頭爛額。髮型設計好了又洗，重設計之後再洗。每次完成一個造型，她就叫我過去欣賞；無論怎麼妝扮，她看起來都同樣美麗卻又孩子氣。像是偷穿媽媽高跟鞋、想當女人的小朋友。

狄德麗為我設計一套柔軟的橙色連身裙，她說我穿了會在傍晚的薄暮下驚豔四座。她沒在我波浪狀、深淺濃淡不一的金髮上動手腳。雖然她沒明講，但我知道她一和我站在鏡子前，就覺得我神似蘿絲。林登見到我之後，我猜他眼裡看的根本不是我，而是他不能再見到的女孩的化身。我只求這樣能夠贏得他的寵愛了。

天色還沒變黑我們就抵達香橙園，就算搭好舞台、樂團為樂器調音、湧入一堆我從未謀面的人群，我還是可以察知這裡有別於府邸的其他處所。這裡比較像荒野，草長得高矮不一，有的短至我磨腳的高跟鞋，有的長及膝蓋。草兒好似帶了薄薄橡膠手套的手指，伸進我的禮服。螞蟻要不沿著水晶玻璃杯的杯緣繞，要不就爬上樹。綠色植物無不發出嗡鳴或窸窣聲。

這裡大多數的面孔我都不認得。有的是侍從，忙著架設食物加溫器或為紙燈籠畫龍點睛。其他則是衣著體面，光鮮亮麗到有油膩之嫌，他們全是第一代的長者。「他們是戶長沃恩的同事，」狄德麗悄悄對我說；她站在折疊椅上調整我的胸罩肩帶，以免它從我肩膀滑落。

「總督根本沒朋友。蘿絲生病之後，他甚至不出家園一步。」

「他以前是做什麼的？」我問著問著嫣然一笑，彷彿狄德麗在說什麼歡樂的事。

「房屋設計。」她邊答話邊把我肩膀周圍的頭髮弄蓬，「好囉！妳看起來真美。」

我和姊妹妻遵從貼身佣人的叮嚀，以當壁花拉開晚宴的序幕。我們彼此手牽手，共飲一杯潘趣酒，看起來美美的，等著被人引見。那些陌生人、第一代的長者，把我們一個接著一個領去跳舞。他們把手搭在我們的臀部和肩上，貼得近到他們硬挺西裝和鬍後水的氣味撲鼻而來，想不聞都不行。我發現自己最期待的就是他們鬆手的那一刻，這樣才能在香橙樹下好好歇口氣。站在我身旁的是珍娜，剛才跳得可起勁了。儘管她老把被囚禁的憤慨掛在臉上，跳起舞來卻手姿綽約、婀娜多姿。她的舞步或快或慢，身體宛如火焰般移動，又像是音樂盒裡的芭蕾舞者。她翩翩起舞的同時，對我們的丈夫巧笑倩兮；他羞紅了臉，為她的美麗所征服。我知道她為什麼歡樂今宵。因為他的亡妻依舊在此處徘徊，他也為此痛徹心扉，而她要讓他知道這個傷痛永遠不會消失。

她的微笑就是復仇。

現在她站在我身旁，從樹枝上摘下一顆柳橙在手裡把玩，並說：「今晚我們大概可以輕鬆開脫了。」

「什麼意思？」我問她。

她頭朝我們面前一點，指向在林登懷裡慢舞的西西莉。從這頭都能看見她的皓齒在發光。「她暫時擄獲了他的心，他一刻都不願放開她。」珍娜說。

「妳說得對。」我說。他每支舞都跟西西莉跳，其餘的時間則被鈎魂的珍娜電得目不轉睛，根本沒空看我一眼。

珍娜又被邀去跳另一支舞，她已靠著精湛的舞藝、和迷人的笑容擄獲許多仰慕者。只剩我一人獨自啜飲水晶玻璃杯的潘趣酒。涼爽的輕風拂掠我的秀髮，我不禁納悶蘿絲是在哪兒病倒的。是在侍從爭論沒為晚宴準備足夠雞肉的那頭嗎？還是西西莉和林登從舞池偷偷溜走，跑去耳鬢廝磨竊笑的長草堆？還有，撒出的骨灰又落在何方？那些究竟是什麼東西的灰，林登和蘿絲的死胎後來到底怎麼了？

隨著夜色漸深、賓客漸散，我和珍娜便坐在草地上讓阿戴爾和狄德麗梳順我們糾結的頭髮。林登與西西莉不知去向，就算過了很久我們偷溜上床，依舊不見他們的人影。

隔天午後的某時，西西莉面色蒼白，茫然蹣跚地走進書房。她唇邊依稀掛著一抹不願散去的微笑，蓬頭亂髮像是灌木林大火的意外災難。

蓋布利歐為我們端茶，西西莉一如往常倒入過量的糖，沒和我們攀談。只見她臉上有枕頭印的皺褶，每動一下就忍不住縮腿。

「真是美好的一天。」一直等到我坐上厚墊椅、珍娜開始在走道上踱步，她才終於開口說話。

她看起來不對勁。一點都不對勁。她慣有的活力轉為含蓄，嗓音變得風鈴般溫柔。她像一隻被馴服的野鳥，正目眩神迷地審視自己的牢籠，對她而言，這座囹圄似乎也沒那麼糟。

「妳沒事吧？」我問她。

「哦，沒事。」她說。她把腦袋歪向一邊，然後斜向另一邊，最後輕輕把頭擱在桌上。珍娜在書房的彼端對我使了個眼色，雖然不發一語，但我倆心照不宣。西西莉終於從我們丈夫身上得償宿願，這意味著林登已把蘿絲好好藏在記憶深處，也準備好造訪其他妻子的床了。

或許西西莉喜不自勝，但她看起來是這麼弱小無助，於是我對她說了聲「走吧」，把她輕輕扶起來。她沒有反對，還將小手臂圈住我的背，讓我帶她回臥室。

我覺得林登真是個禽獸，是個卑鄙的傢伙。「你看不出來她只是個小女孩嗎？」我喃喃自語。

「嗯？」西西莉挑眉問道。

「沒事，妳現在覺得如何？」我說。

她爬上沒鋪過而且看起來人才剛離開的床，頭一碰到枕頭，就用迷濛的雙眼望著我。

「棒呆了。」她說。

我幫她蓋被子，發現床單上有一小片血跡。

我坐著陪她一會兒，看她漸漸重回夢鄉，聆聽在她窗外樹上築巢的知更鳥叫。先前她想叫我來看，純粹只是孩子找我講話的藉口。我對她不夠好，也不夠公平。對一切渾然無所覺是她情非得已，畢竟人家年紀這麼小。生長在一個沒有父母關愛的世界、任她被擄走當新娘或成為一具死屍的孤兒院，這些都是她身不由己。她不知道自己有多脆弱，也不知道她在那輛廂型車上有多接近死亡。

可是我知道。我從她臉上撥開幾綹糾結的頭髮，說：「有個美夢。」

這是任何人在這裡可以希冀的最大願望。

我對林登氣到眼裡根本容不下他。當晚他進我的臥房，問都沒問就往床鋪靠近。我沒掀開床單，於是他不再更進一步。我開燈假裝剛醒，事實上我一直在等他來。

「妳好。」他輕聲說。

「你好。」我邊說邊坐直身子。

他摸了摸我的床邊，但沒往床墊上坐。難道在等我邀他上床嗎？西西莉是這樣對他的嗎？珍娜絕不會這麼做的。假如他不會霸王硬上弓，那唯一會讓他占便宜的就只有西西莉了。

他說：「妳昨晚在香橙園看起來好美。」

「我以為你根本沒注意我。」我說。就連現在他都沒有正視我，而是遠望一直緊閉的窗外。又起風了，風聲宛若亡者號啕大哭。柳橙和玫瑰一定被風從枝頭颳跑，在空中皮開肉綻。

「我可不可以上床？」他說。

「不可以。」我邊說邊把被子疊得整整齊齊鋪在大腿上。

他揚起一邊細長的眉毛。「不行？」

「不行。」我堅決到底。我本來打算語帶怒意，話一出口卻事與願違。兩人之間陷入緊繃的沉默，然後我說：「不過還是謝謝你先問我。」

他僵硬地站在原處，似乎不知該把手放在哪兒，因為他的睡褲沒有口袋。「那一塊兒散個步怎樣？」

「現在嗎？今晚好像很冷欸。」我說。到目前為止已證明佛羅里達的天氣詭譎多變。

「添件外套，幾分鐘後跟我在電梯碰面。」他說。

這個嘛，我想散步應該無傷大雅吧。我走向衣櫥，在睡袍外加了件薄薄的針織外套，又穿上厚厚的襪子，導致很難把腳套進鞋裡。

我跟林登在電梯前碰頭時，才發現自己穿的正是他外套的女性剪裁版，我不知這是否純屬巧合。搞不好是狄德麗這個無藥可救的浪漫派特別設計的情侶裝。我猜她希望我學著愛他。可是她年紀還小，還有好多年去學著分辨何謂真愛，或起碼什麼不是真愛。

電梯下降，一直縈繞我心、揮之不去的，是媽媽身穿大波浪禮服轉圈，爸爸摟她入懷、一個下沉步，音樂充斥著整間客廳。*你們想知道什麼是眞愛嗎？*身為遺傳學家的爸爸對擔任觀眾的我和哥哥說。*我來跟你們聊聊眞愛。眞愛不添加科學，它跟天空一樣自然。*

愛是自然而然。但連人類都再也無法聲稱他們保有自然了。我們是虛假垂死的玩意兒。最終我會捲入這場婚姻騙局也是適得其所。

戶外天氣嚴寒刺骨，有種秋天枯葉的氣息，使我想起防風外衣、草耙、和開學新買的及膝襪。它們離我好遠，卻依然徘徊不去。我鼻子凍僵了，於是把外套的領子在耳朵周圍立起。

林登圈起我的胳臂，我倆開始散步，但不是穿過玫瑰園，而是朝香橙園前進。晚宴的氣氛全都煙消雲散，我這才能一睹它的廬山真面目：蔓生、自然、美麗。是我會想鋪張毯子躺著看書的地方。我終於明白蘿絲為什麼花這麼多時間造訪此地了，卻也納悶她在昏倒的那天知不知道自己病了。不曉得她是否認為自己會在輕柔白色橙花的遮蔽下悄悄告別人世，這樣就不必延長病痛了。

一起風整個園子都窸窣作響，我感覺她的安詳無所不在。我感到平靜，不再那麼惱怒了。

「她在這裡。」林登這麼說，彷彿能解讀我的思緒。

「嗯。」我表示贊同。

我們沿著一條人跡常行的草地和泥地小徑走了一會兒。這裡沒有人工池塘，也沒有雅緻的情侶座椅或長凳。陣風強到我們一張口，想說的話全從喉嚨被吸走了。不過我察覺林登有話想說，等風靜下來，他止步不前並牽起我的手。寒意使我的指關節皮膚龜裂，但他平滑濕潤的掌心撫平它們。

「聽我說。」他說。月光下他的綠眸顯得明亮。「我會與妳分享這裡。妳想去的地方無論是哪裡，只要說一聲我就答應。但這個地方是聖地，好嗎？我不會讓妳把它當作武器，用來對付我。」

他語氣雖不強烈，卻捏我的手、把頭一低，讓我倆視線齊頭。原來他知道我的用意。他明知我懷恨在心，才提議在這裡辦晚宴，卻沒對我威脅恐嚇。不像他爸虐待蓋布利歐那樣，他沒為我的挑釁對我施虐。為什麼呢？為什麼把三個女孩從家園擄走的男人要對我展現慈悲？

我噘起龜裂的嘴唇，按捺跟他爭辯的慾望：如果真的哪兒都能去，那我想回曼哈頓。我不能讓他得知我的逃亡美夢，否則他就不會讓我走了。真相不能列入逃亡計畫的一項因素。

「我不是有意傷害你的，我可能只是在吃醋吧。你一直沒向我投射關愛的眼神，我以為只要我們在這裡辦晚宴，你心情就會好轉。把它當作蘿絲的喪禮，同時慶祝新婚，放下過去向前看。」我說。

他看起來對我的謊言大為震驚、萬分感動，害我差點為此內疚。令我難過的是，他亡妻的屍首在地下室解剖，香消玉殞、美麗不再，而我卻以她之名對付他。有天午後，蘿絲迷濛地躺著、渾身是汗，在清醒與恍惚間要我發誓會好好照林登，我也答應了她的請求。我沒有指望要遵守諾言，但或許這個謊言至少能在當下帶給他一些安慰。

「我想讓她入土為安，但我爸認為這麼做不妥。他說還不能確定她身上的病毒……」他嗓音哽咽，頓了一下，「會不會污染土壤，所以只把她的骨灰交給我。」他說。

我等他向我提起骨灰撒在這裡的嬰兒，但他隻字未提。這也許是他意圖保守的隱私，又或許是傷痛到難以啟齒的回憶。

「你要撒她的骨灰嗎？」我問道。

「撒了，昨夜晚宴後撒的。我覺得是時候道別了。」他說。

應該是在他和西西莉幽會完撒的吧。即使是西西莉的傾慕也無法減輕他的心痛。但我啥也沒說，現在不是談論西西莉的時機。我們這對夫妻只是手勾著手轉身，往爬滿常春藤、腹地遼闊的府邸打道回府。我想起我為自己將一片常春藤葉藏進那部結局美滿或悲慘的羅曼史小說，心頭一直不解的是，昨夜撒在這兒的究竟是誰的骨灰？

後來幾晚林登都邀三位妻子與他共進晚餐，而晚上他多半都待在我的臥室。但我們純粹只有聊天和睡覺。他躺在床上、蓋著被子看我擦護手霜、梳頭髮、拉上窗簾、啜飲晚茶。我不怎麼介意他待在我房裡。我知道珍娜肯定受不了，又情願他別去勾搭西西莉，因為她會讓他予取予求，晚宴過後的早晨，她那突如其來的脆弱令我擔憂。我知道林登琵琶別抱令她大吃飛醋，但這與她無關，所以她的問題我一概不答。不過我跟林登根本沒有肢體碰觸，只有幾次我感覺他的手指伸進我的頭髮，為我的夢泛起陣陣漣漪。

他會跟我說話，直到我精疲力竭。蓋布力歐同時為我和我的姊妹妻送早餐，也多帶點吃的給林登，他會點些教人意想不到的食物，像是一杯糖漿或幾顆葡萄，然後唇邊懸著葡萄藤享用果實。蓋布利歐不再為我偷帶六月豆，我好想它們啊。我也懷念和他談話的時光。現在我們連看彼此一眼的機會都不若以往，因為林登開始在白天帶我外出散步。

只要風和日麗，他就會帶我們三個到游泳池畔。珍娜做日光浴；西西莉從跳水板上翻觔斗，欣喜若狂、放聲尖叫，使我聯想起她永遠不會擁有的童年與自由。我多半時間都潛入水底，那裡有水母和海床的投影。鯊魚衝向我、穿過我的身子，為鮮黃和橘色的魚群清出一條水道，我還看見跟水池一樣大的鯨魚。有時我忘了這些沒有一樣是真的，只是愈潛愈深，尋找失落的亞特蘭提斯，最後找著的只是池底。

有好幾天都是這樣過的。我覺得這種日子也挺不賴的。像是擁有自由。像是擁有姊妹。

就連珍娜也會把腳趾浸在水裡，往我這頭潑一點水。有天下午我跟西西莉聯手，一人拽住她一邊腳踝，把她往池裡拉。珍娜憤怒地尖叫、緊抓池邊不放，大罵我們是壞女人、說她恨死我們了。但最後她還是妥協下水，和我牽著手潛入水中，還試著一起抓投影的古比魚。

林登不游泳，但偶爾會問我們全像投影好不好玩。穿著泳褲的他好蒼白消瘦。他坐在潮濕的浴巾上讀建築雜誌，我想這意味著他準備重返職場了。也許他會踏出家門、參加派對，而我會是圈著他手腕的嬌妻。我知道逃亡行動必須經過縝密規劃，不能第一晚被放出去就在茫茫人海中消失。但說不定電視會實況轉播。搞不好羅恩看到電視就知道我還活著。

有天午後我跑進屋內，要從門邊的櫃子多拿一條毛巾，結果差點撞倒端托盤、上頭用高腳杯盛柳橙汁的蓋布利歐。「對不起。」我說。

「感覺妳玩得很開心。」他說話時卻不太與我目光接觸。「借過一下。」他繞過我身邊。

「等等。」我說。我回眸一望，確定在玻璃門彼端的游泳池畔躺臥或玩水的人，沒有一個在注意我。蓋布利歐轉身面向我。「你是不是在生我的氣？」我問道。

「不是。我只是覺得妳已經沒時間跟侍從說話了。」他說。他平時溫和的雙眸變得陰鬱，令我心生反感。「畢竟妳是堂堂總督之妻。」

「喂，等一下。」我說。

「我沒什麼要解釋的了，萊茵小姐。」他說。嚴格上來說，僕役應該這麼稱呼我沒錯，但我可能沒官夫人的架子，受不起這個尊稱，因為府邸上上下下都叫我萊茵或金髮妹。不過蓋布利歐說得對，連日以來除了林登跟我的姊妹妻，我沒機會跟任何人講到話。我懷念坐在廚房櫃台和廚子閒聊，想念和蓋布利歐談天的時光。我也好想六月豆，畢竟抽屜裡的庫存已愈來愈少。但我沒辦法當著林登或沃恩戶長的面吐露這些心底話；若想見蓋布利歐一面，林登跟戶長也至少會有一人在附近。

「怎麼了？我做了什麼嗎？」我說。

「我猜我只是沒料到妳那麼輕易就對總督傾心吧。」他說。

這個想法實在太荒謬，我笑著勉強吐出這兩個字：「什麼？」

「妳要知道，我跟妳同住一個屋簷下，我每天早上都幫妳送早餐。」他說。

他錯了，大錯特錯。但我火大到拋下想要糾正他的念頭。「你沒料到我跟我的丈夫同床共枕？」我說。

「大概沒料到吧。」他說。然後他就拉開玻璃拉門，一腳踏到陽光底下，徒留我濕答答地站在原地、牙齒打顫，想知道這個鬼地方究竟把我變成什麼德性。

晚餐時間我沉默不語。林登問我食物還好嗎，我等到蓋布利歐為我倒完氣泡水才點點頭。我真的好想把蓋布利歐拉到一旁講話。我想向他解釋，他誤會我跟林登了。問題是沃恩戶長就坐在桌前；有他在場，我的頭就抬不起來。

晚餐後進電梯，蓋布利歐護送我們回妻妾樓。我試著和他雙眼對焦，但他似乎刻意迴避我。

西西莉站在我身旁，揉著太陽穴。「燈怎麼這麼亮啊？」她問道。

門開了，我跟珍娜踏出電梯，但西西莉卻動也不動。

「怎麼了？」我問她。

我這才發現她有多蒼白，她臉上蒙著亮亮的一層汗。「我不舒服。」她說。話一說完，她就翻了個白眼；了無生氣、癱倒的西西莉被蓋布利歐接個正著。

第八章

侍從們蜂湧而至，把西西莉的臥房當蟻塚似地忙進忙出。沃恩戶長也來了，林登則在門裡門外來回踱步。我跟珍娜被趕回各自的臥室，我坐在梳妝台前，驚嚇擔憂到連嘗試睡覺的企圖也盡失。

我早該告訴林登晚宴過後的早上，她臉色看起來有多差了對不對？這樣他應該會把我的話聽進去。我早該提醒他，她只是個孩子。這些顯而易見的事實他都視若無睹，我真該插手才對。

她是不是在流血？她是不是快死了？今天稍早她還好好的呀。

我耳朵貼著門，試著從走廊對面含糊不清的咕噥聲中聽出些端倪。房門打開時，我差點跌倒。蓋布利歐凝視房內。「抱歉，我不是有意要嚇妳的。」他輕聲說道。我讓路給他進來，然後他把門從背後帶上。他進我房間卻沒托盤在手，這還真是罕見。

「我只是想確定妳人沒事。」他說。他的語氣不再刻薄，雙眸是我熟悉的平靜天藍，稍早看見的忿恨也煙消雲散。也許他只是暫時把這些醜惡拋到一邊，但熟悉感回來了，教我如釋重負，忍不住抱他一下。

一開始他驚愕地僵著身子，然後用雙臂環繞著我，我感覺他把下巴靠在我的頭頂。

「好可怕。」我說。

「我知道。」他說。我感覺他的雙臂在移動。以前我從沒這麼靠近他過。他個子比林登高、身材也比較結實，林登要是再少個幾磅就會被風給吹走了。蓋布利歐身上有廚房的味道，瀰漫著噪音、活力、水煮跟烘焙食物的氣味。

「你哪裡知道？」我邊說邊把身子稍微抽離，好與他相望。他面色羞紅，好像蒙上一層柔和的薄霧。「不只是西西莉。我們大家都在這段婚姻裡受苦。你要知道，珍娜恨死他了。我很清楚林登是怎麼看我的——他把我當成蘿絲。這是我唯一能跟他耗下去的防禦武器，可是到了夜裡，他和我同床共枕，在夢裡含糊地呼喚她的名字，這一切讓我身心俱疲。好像他每天一點一滴地將我抹滅。」

「他抹滅不了你的。」蓋布利歐向我擔保。

「還有你呀，不准再叫我萊茵小姐了。今天聽你叫過一遍我就恨死這個稱謂了，叫的我渾身不對勁。」我說。

「好吧，對不起。妳跟總督之間的事都與我無關。」他說。

「不是那樣的！」我吼著把雙手牢牢壓在他肩上。我壓低音量，免得有人站在門外的走廊聽到對話內容。「假如我被林登．艾許比欺負了，那天肯定是冰天凍地、宛如地獄，好嗎？」我差點繼續說下去，差點把我的逃亡計畫告訴他，但還是決定就此打住，讓它暫時當我的祕密。「你相信我嗎？」我問他。

「以前我從不懷疑，但看見他上妳的床……我也不曉得啦。總之我很不爽。」他說。

「是啊，這個嘛，我也不爽。」我輕笑幾聲，他也跟著笑了。我將手鬆開，往床角一坐。「那西西莉怎麼了？」

他搖搖頭。「不曉得。沃恩戶長跟幾位家醫還在裡面。」他見我臉色一沉。「不過呢，妳聽我說。我相信她不會有事的。很嚴重的話，早就把她送到城裡的醫院了。」

我望著垂放在大腿上的雙手，嘆了口氣。

「要不要我幫妳帶點什麼？喝點茶好了？還是吃點草莓。妳晚餐幾乎都沒吃欸。」蓋布利歐說。

我不想喝茶也不想吃草莓。此刻，我不要蓋布利歐當我的侍從。我要他坐在這裡當我的朋友。我想知道待會兒他不會為此受到懲罰。我希望我們都能重獲自由。

也許等我擬定逃亡計畫，就能帶他一起逃。他應該會像個遮風避雨的港灣。

但我不曉得該怎麼跟他說這些，又不讓自己顯得脆弱，所以最後只說：「自我介紹一下吧。」

「自我介紹？」他一臉困惑。

「對。」我邊說邊輕拍床墊。

「該知道的妳都知道啦。」他說著說著便坐到我身邊。

「也不盡然。你是哪裡人？最愛哪個季節？說什麼都行。」我說。

「我是佛羅里達的本地人。我記得有個穿紅洋裝、留褐色鬈髮的女人。也許她是我生母，但我也不確定。我最喜歡夏天，妳呢？」講到最後他面露微笑。他鮮少綻露笑顏，所以我將他的每個笑容都視為某種戰利品。

「秋天是我最愛的季節。」我說。他已經知道曼哈頓是我的故鄉，雙親在我十二歲那年過世。

就在我思考下一輪題目的同時，聽見了敲門聲。蓋布利歐起身撫平蓋被上被他坐過的皺褶。我從床頭桌抓起一只空玻璃杯，萬一有什麼事可以假裝請他倒水假裝一下。「進來。」我說。

原來是西西莉的貼身佣人愛兒。她興奮地瞪大雙眼。「猜猜看我要宣布什麼消息。你們絕對猜不到的。西西莉懷孕了！」

接下來的幾週，林登把時間全都獻給了西西莉，而我再度成為一位隱形新娘。雖然明知飽受冷淡不利於我的逃亡計畫，但至少他暫時不能如影隨形，我不由得感到擔子輕了一點。現在蓋布利歐送早餐到我房裡，我跟他又能自由交談了。只有他一位侍從負責把餐點送到妻妾樓，所以他會趁我的姊妹妻醒來之前，早一點送早餐給我；但西西莉有孕在身，所以睡眠週期變得比較不規律。

跟蓋布利歐相處一點都不像是義務陪伴我的丈夫。面對蓋布利歐，我可以坦誠相待。我可以表明自己對曼哈頓的想念，那裡對我而言曾是世上最大的城市，但如今卻遙若星辰。

「以前曼哈頓分成比較多區，像是布魯克林、皇后區等等。但自從加了燈塔跟新海港後，整個城就統稱曼哈頓，並以不同功能來劃分區域。我住的是工廠與運輸區，西邊是漁業區，東邊是住宅區。」

「為什麼？」蓋布利歐邊問邊從我的早餐托盤拾起一片吐司咬下。他坐在窗畔的躺椅上，晨光照亮他瞳孔周圍的藍圈。

「不曉得欸。」我翻身趴著，下巴倚在雙臂上。「也許名字太複雜了，容易把各區搞混吧；除了住宅區外，其他地方大多已工業化。也許總統懶得分別其中的差異吧。」

「好無趣喔。」他說。

「有一點。」我承認。「不過某些建築物有幾百年的歷史。我小時候曾經假裝踏出家門，走入歷史。我曾經假裝……」我話愈說愈小聲，手指拂掠被子的縫線。

「怎樣？」蓋布利歐傾身向前問我。

「我從沒告訴過別人。」話出口的當下我才意會到這項事實。「我曾經假裝將要走入二十一世紀，看見各個年齡層的人們，自己也會跟他們一樣長大。」接著是漫長的沉默，我雙眼只盯著縫線，因為覺得難為情，不敢注視蓋布利歐。但我感覺到他在看我。幾秒後他走到我床邊；我感覺床墊在他的重量下微微下沉。

「別提了，這很蠢。」我邊說邊強顏歡笑。

「不會，這並不蠢。」他說。

他的手指跟著我的，在被子上來來回回劃直線，兩人的手不大碰觸。一陣暖流撲面而來，我臉上泛起止不住的笑意。我心裡有數，等不到長大成人的那一天，而且也好久沒有心存這種幻想了。我始終無法將這個天馬行空的想法和爸媽分享，否則只是讓兩老徒增悲傷；但我也不能向哥哥傾訴，因為他會怪我不切實際。所以我沒向任何人吐露，告訴自己心智成熟就不會有這種念頭。可是現在看著蓋布利歐的手和我並排移動，好像在玩一種固定節奏跟秩序的遊戲，於是我又重新擁抱這個幻想。有朝一日我會踏出這座府邸，放眼看世界。那個健康繁茂的世界，有條康莊大道領我走向漫長的餘生。

「你該見識一下。我是說那座城市。」我說。

他語氣溫柔。「我很樂意。」

有人敲了敲我緊閉的房門，西西莉的嗓音問道：「林登在妳那兒嗎？他說好要幫我準備熱可可的啊。」

「他不在。」我說。

「可是我聽見講話聲了，誰跟妳在一起？」她說。

蓋布利歐起身，我撫平被子，他則從梳妝台拾起我的早餐托盤。

我對她說：「向廚房廣播啊，也許有人知道他人在哪兒。不然就去問愛兒。」

她遲疑了一會兒，又敲了敲門。「我可以進來嗎？」

我站起來，趕忙把被子扔到床墊上，撫平皺褶、弄蓬枕頭。明明沒做虧心事，我卻突然覺得怪怪的，怕她發現蓋布利歐在我房裡。我走到房間彼端開門。「妳想怎樣？」我問她。

她從我身邊擠過去，瞪著蓋布利歐，用她那雙褐眼上下打量他。

「我最好把碗盤拿去廚房了。」他尷尬地說。我試著從西西莉背後給他一個道歉的眼神，但他並沒有給我回應，視線也幾乎沒從他鞋子抬起過。

「好吧，那就順便幫我送熱可可上來，我要非常非常燙，還有不准加棉花糖。你每次都加就算了，又拖那麼久才送上樓，棉花糖都融化了，超噁心的。把棉花糖放在碗裡、擱在旁邊。算了，帶整包上來好了。」西西莉說。

他點點頭，從我們身旁經過。西西莉目光緊盯走廊，直到電梯門在蓋布利歐的背後關上，然後她猛一轉身面向我。「妳剛為什麼要關門？」

「不關妳的事。」我回嗆她。雖然明知這聽起來有多可疑，但我就是忍不住兇她。跟蓋布利歐聊天是我難得的享受之一，我的姊妹妻無權卻又最有立場將它剝奪。

我坐在躺椅上，怒氣沖沖地假裝整理頂層抽屜的髮飾。

「他只是個侍從。」西西莉一面說，一面將我臥房從頭走到尾，手指也拂牆而過。「而且又那麼笨。泡茶附的奶精跟糖從來沒準備足夠過，拖拖拉拉的，每次我的餐點送上來都是冷的……」

「他不笨，是妳愛抱怨。」我打斷她的話。

「抱怨？抱怨？每天早上害喜吐早餐的又不是妳。因為懷孕這件蠢事整天困在床上的也不是妳。我希望那些笨侍從盡忠職守，把我想要的帶來給我，這要求也不算太過分吧。」她氣急敗壞地說。挑釁地往我床墊上一倒、交疊雙臂。充分表達她的不滿。

從這個角度我看出她睡袍底下微微隆起的肚子，也依稀在她噴的香水下聞到疑似嘔吐的味道。她頭髮凌亂、肌膚蒼白。雖然我不願承認，但她心情很糟我能理解。她經歷的事已遠超過同齡女孩。

「喏。」我邊說邊把手伸進抽屜，將狄德麗在我大喜之日給我的其中一顆紅糖遞給她。

「它能舒緩一點反胃的感覺。」

她取過糖果塞進嘴裡，滿足地「嗯」了一聲。

「妳要知道，生產是很痛的，我可能會死欸。」她說。

「妳不會死的。」我說，同時把林登媽媽死於分娩的事拋諸腦後。

「但有這個可能嘛。」她說。她挑戰的語氣已不復聞。當她望著手中的糖果紙，說話的口吻近似恐懼。「所以我要什麼，他們就該給我什麼。」

我坐在她身旁，一手環抱著她。她把頭靠在我肩上。「好吧。」我同意。「妳想要的就該得到。可是妳要知道，想捕蒼蠅，蜂蜜會比醋更有效。」

「什麼意思？」

「我媽以前常掛在嘴邊，意思是和氣待人，別人才更樂意為你效勞，說不定會多給妳些好處。」我告訴她。

「所以妳才對他這麼好嗎？」她問道。

「對誰？」

「那個侍從啊。妳老是跟他聊天。」

「或許吧。我只是在示好罷了。」我說。我感覺雙頰開始發燙。謝天謝地西西莉沒有看我。

「妳不該對人那麼好的，這樣會讓人會錯意。」她說。

第九章

妻子懷孕使林登龍心大悅，整個家的氣氛也為之歡快，他放寬禁令，允許大家在府邸和園子裡自由走動。我如果獨自一人，就會在樹林裡尋找通往外面世界的路，但這條路怎樣都遍尋不著。沃恩戶長有時會出家門進醫院辦公，但草坪一定有經過什麼特殊的抗壓處理，因為我從沒看見任何胎痕駛出車庫。蓋布利歐稱這裡為永恆，而我開始覺得他是對的。沒有起點，也沒有終點。無論我去哪兒，終究會回到府邸。

我爸曾跟我說過嘉年華會的故事。他說那叫作沒事硬要找事慶祝。小時候他會參加嘉年華，付十塊錢進魔鏡屋。那裡的情景他描述過很多遍——使他忽高忽矮的哈哈鏡；把鏡子並列，看樣子就像沒有盡頭的出入口。他說魔鏡屋總給人永無止境的幻覺，事實上從屋外看，它小的只有工具室那麼大。訣竅在於你要看穿幻象，因為出口絕對沒外表看起來那麼遙不可及。

直到現在我才參透這個道理。我在玫瑰園、網球場，和迷宮般的灌木林間漫步，試圖和他的靈魂交流。我幻想他從天堂俯視我，看著我那一丁點大的身體漫無目的地尋找出路，但出口只離我的指尖咫尺之遙。

「幫我解開謎團吧。」我對他說。我站在香橙園，唯一的回應是吹過長草的一陣風。我從來不是猜謎高手；能第一次玩就破解魔術方塊的是我哥。他對科學方面很有興趣，老問爸爸有關那些已滅亡國家的問題，反觀我則在一旁忙著欣賞照片。

我想像哥哥從柳橙樹間冒出身子。「妳不該回覆那則廣告的，老是不聽我的話，我該拿妳怎麼辦呢？」他牽起我的手，我們一起回家。

「羅恩……」我呼喚他的名字，熱淚盈眶。但回應我的只有微笑。他沒有來；這世上沒有路能領他到我身邊。

無解的困境太令我心灰意冷，我索性暫時休息，臣服於可以讓這座監獄更舒服的事物。我潛入水池裡的人工海。一位侍從教我操作儀表刻度轉換全像圖，這樣我就能在北極冰川底下遨遊，或駕駛沉沒的鐵達尼號。我與瓶鼻海豚並排游泳。游完泳，濕答答又渾身氯味的我和珍娜，躺在草地上啜飲色彩繽紛、杯緣嵌著鳳梨片的飲料。我們玩迷你高爾夫，這座球場八成是林登小時候家人為他或他亡兄蓋的。我們沒計分，而是同心協力在最後一洞擊敗那個旋轉小丑。我們試著打網球，但後來放棄了，改玩拿網球丟擊牆壁的遊戲，因為這個我倆都很拿手。

到了廚房，六月豆我想吃多少就吃多少。我坐在廚房櫃台上，幫蓋布利歐削馬鈴薯皮，聽廚子聊天氣，以及他們多想為討人厭的小新娘上髒襪子這道菜。就連為人溫厚的蓋布利歐也不免同意西西莉最近格外令人抓狂。有人提議油煎老鼠給她當午餐，但主廚說：「說話放尊重點。我的廚房沒有老鼠。」

林登自覺冷落了我和珍娜，於是問我們想要什麼禮物——什麼都行。我差點向他要一箱六月豆，因為之前聽廚房內場人員抱怨過清晨貨運，從那一刻起我搭貨運卡車逃跑的幻想就沒停過。可是一想到我贏得林登信任的計謀已有長足進展，要是被抓豈不功虧一簣；況且被抓的可能性極高，畢竟沃恩戶長對這裡發生的一切瞭若指掌。

珍娜說：「我想要一張大彈簧墊。」隔天早晨它就送來玫瑰園了。我們蹦呀跳地直到肺都疼了，然後躺在墊子中央，暫時仰望白雲。

「在這裡死掉也挺不賴的。」她坦承道，接著用手肘撐起上半身，導致我的身子滑向她那頭。她問我：「最近他有上妳的床嗎？」

「沒。」我說著說著，把雙手交疊於腦後。「整張床又全是我的了，感覺真好。」

「萊茵，他找妳的時候，不是……為了生小孩。」

「不是，從來不是為那檔事。他甚至沒吻過我。」

「這就怪了。」她邊說邊倒回原處。

「他有沒有找妳？」我問她。

「有。在他把所有注意力轉到西西莉身上之前，有找過幾次。」

這令我倍感意外。我回想珍娜穩定的晨間作息，在書房喝茶、埋首於羅曼史小說，沒有一天早上她看起來衣冠不整或身體不適，更沒像西西莉的反差那麼大。就連現在她對整件事的反應也似乎非常冷靜。

「那是什麼感覺？」我話一問完馬上感到發燙的紅暈在臉上泛開。我真的問了這個問題？

「還不算糟」是珍娜若無其事的答覆。「他一直問我還好嗎，好像以為我會碎掉還是怎樣的。」這個想法令她噗哧一笑。「要是我真碎了，也不會是他的傑作。」

我不知該如何回話。光想到林登吻我就令我忐忑不安、胃部痙攣。反觀我的兩位姊妹妻和丈夫做的遠超過親吻，其中一個還懷了他的小孩。

「我還以為妳恨他。」最後我這麼說。

「我當然恨。」她說。她的嗓音是柔和的嗡鳴。她把腳踝蹺在尖突的膝蓋上，漫不經心地抖起腳。「我恨他們所有人，但這就是我們生活的世界。」

「他們所有人？」我說。

她坐起身望著我，表情參雜著困惑、同情又或許帶了點樂趣。「真的假的？」她說著說著便用手捧起我的下巴仔細端詳。她肌膚柔嫩，聞起來像是狄德麗為我擺在梳妝台上的乳液。「妳長得這麼標緻，身材又這麼凹凸有致，以前是怎麼賺錢的？」

我一意會她的問題，也馬上坐直身子。「妳以為我是賣肉的？」我反問她。

「也不是啦。妳太嫩了，不是混那一行的。我只是瞎猜的——不然我們這種女孩要怎麼過活？」

我想起新年派對在公園裡跳舞的那些女孩，有的會和家境優渥的第一代溜進車裡。也想起紅燈區窗戶貼上黑紙的妓院。我經過時，偶爾門會打開，我聽見節奏強烈的音樂、瞥見閃逝的虹光。我想起那晚在香橙園珍娜的舞技多熟練，她對這些憎惡的男人來說又多魅力四射。我在人行道上提不起勇氣經過的陰暗隱蔽處，就是她過日子的地方。

「我以為孤兒院可以供妳溫飽。」我話一出口馬上發現沒這回事。我跟羅恩嚇跑夠多想偷我們東西的孤兒，要是孤兒院真能讓他們衣食無虞，我們哪得這麼做。

珍娜再次躺倒，我也躺在她身邊。「妳是說真的啊？所以妳從來沒……」她說。

「沒。」我略帶防衛心地說。珍娜在我心裡開始以另一個面貌現形。不過我不評判她。也不怪她。誠如她所說的，這就是我們生活的世界。

「這樣啊，我不曉得他怎麼沒來找妳，我總覺得這裡的一切都事出必有因。」她說。

「這我就不懂了，既然妳這麼恨他，為什麼不拒絕呢？林登個性這麼溫和，絕對不會對女生霸王硬上弓。」我說。

然而，令我不只一次提心吊膽的是，強迫我們圓房的幕後主使其實不是林登。他是否察覺到我的猶豫，同意幫我緩刑？他的耐性還有多久會消磨光？

珍娜轉身面向我，我對天發誓她的灰色雙眸閃現一絲恐懼。「我擔心的不是他。」她說。

「那是誰？沃恩戶長？」我眨眨眼。

她點點頭。

我憶起蘿絲在地下室的屍體。那些四通八達的不祥走廊。我察覺珍娜如此觀察敏銳的姑娘已發現她個人在這裡害怕的理由。沉甸甸地懸在我舌尖的問題是：珍娜，沃恩戶長對妳做了什麼？

但我不敢接受的是答案。想起屍布底下蘿絲的那隻手，就有一陣寒意直竄我的背脊。在這座府邸的美麗之下蟄伏著醜惡的凶險。我想在發現何為凶險前遠離這個鬼地方。

第十章

看來秋葉總能迸發新的色彩。我來這裡半年了，對於和沃恩戶長的接觸總是能免則免。晚餐時間他拿餐點和天氣當談笑的話題取悅我，我強顏歡笑，假裝他的聲音不會讓我背脊發麻像是有蟑螂在上面爬。

有天午後，林登找到獨自躺在香橙園草地上的我；我不曉得他是特地來找我，還是刻意來這裡獨處。我對他展露笑顏，告訴自己他來了我應該高興才是。如今他把注意力大多放在我年幼的姊妹妻身上，導致我沒啥機會討他歡心。現在我倆在他亡妻最鍾愛的地點獨處，我感覺有機會能和他拉近距離。

我輕拍身旁的地面當作邀請，於是他也往草地上躺。我倆靜靜的，任微風徐拂而過。蘿絲依舊在樹林裡徘徊；窸窣作響的樹葉是她縹緲的笑聲。林登順著我的目光望向天際。

好一陣子我倆都沉默不語。我聆聽他呼吸的節奏，忽略他的現身為我的胸口帶來幾乎無人察覺的震顫。我們的接觸僅手背微微拂掠。一朵橙花以完美的對角線從我們頭頂飄落。

「我很恐懼秋天。這是個可怕的季節，萬物枯萎，垂死。」最後他開口了。我不知該如何回應。秋天向來是我最愛的季節。這個時節，萬物迸發它最後一絲美麗，彷彿大自然貯蓄了一整年的氣力，只為呈現最宏偉壯闊的終場。我從沒想過要畏懼它。我最大的恐懼是要在離家千哩遠的地方度過我生命中的另一個年頭。

雲朵好像突然離我們很遠，呈弧形在我們頭頂移動，繞著地球轉。它們見過深不可測的汪洋和灼燒焦黑的島嶼，也見過人類如何摧殘世界。倘若我跟雲朵一樣見識過一切，是否還會繞著這塊地球殘存的大陸旋轉？想去保護這塊依舊色彩斑斕、生氣盎然、四季生動的陸地？又或者我只會嘲笑它做徒勞無功的垂死掙扎，並迂迴前行，溜向地球傾斜的大氣層？

林登又吸一口氣，鼓起勇氣把手搭在我的手上。我沒有抗拒。在林登．艾許比的世界，一切都是假的、都是幻象，但這天空和橙花是真的。他在我身邊的軀體也是真的。

「妳在想什麼？」他問我。在這段婚姻中，我從頭到尾沒允許過自己對他坦誠；可是此時此地我卻想告訴他真心話。

「我在想，人類真的值得被救嗎？」我說。

「什麼意思？」

我抵著草地搖搖頭，感覺後腦杓在冰冷堅硬的土地上轉動。「沒什麼。」

「一定有什麼。妳那些話有什麼含意？」他的語氣不帶犯意，而是溫柔而好奇。

「那些醫生和工程師全都在尋找解藥。他們獻身其中多年，但真的值得這麼做嗎？人類可以被醫治嗎？」我說。

林登沉默片刻，就在我確定他要譴責我的看法，又或者準備為他瘋子爸爸的研究辯護的當下，他捏了捏我的手，「我也問過自己同樣的問題。」

「真的假的？」我們同時轉頭，四目相交，我感覺臉頰開始發燙，於是回望天際。

「有次我覺得自己活不成了。那時我還小，發高燒。印象中爸爸幫我打了一針，照理說應該是為我治病——不用說也知道那是他研究的實驗用藥，結果沒想到卻使我病情惡化。」

就我對沃恩的了解，不管是哪門子奇怪的實驗，他都有可能會拿針筒打進兒子的靜脈；但這話我放在心裡沒說。林登繼續往下談：「有好幾天我一直在現實與精神錯亂間徘徊。每件事都可怕得不得了，我又沒辦法讓自己醒過來。可是我能聽見爸爸和他的醫師群在遙遠的某處呼喚我。『林登。林登，回來我們這裡。睜開眼睛。』我記得當時自己猶豫不決，不曉得該不該回去。我不知道自己想不想活在一個必死無疑，充斥高燒和夢魘的世界。」

接下來我們之間只有冗長的沉默。後來我才說：「可是你回來了。」

「是啊。」他說。後來又非常小聲地補了一句：「但那不是我的決定。」

他與我十指交纏，我也默許了，手掌感覺他貼著的、濕黏溫暖的掌心。最後我才發覺自己和他一樣都緊握對方的手不放。其實我們是兩個行將就木的渺小人物，世界如秋天的落葉在我倆周圍終結。

往。

西西莉的小肚腩開始鼓起來了。據侍從所說，她雖時常臥床不起，嗓門之大卻更勝以往。

有天下午我邊吃冰淇淋，邊欣賞在池塘悠游的錦鯉，只見一位侍從急急忙忙跑向我。他止步不前，雙手壓著膝蓋，彎著腰喘氣。「快來，西西莉小姐要找妳。有什麼急事。」他上氣不接下氣地說。

「啊，她沒事吧？」我問他。光看他的表情，你會以為有人死了。他以搖頭作為回應。情況如何他不知情。我好像在奔向大門時，把冰淇淋遞給他。蓋布利歐已拿著鑰匙卡在電梯前等我。我上樓衝進西西莉的臥房，以為蘿絲久病的劇情又要上演，以為我會發現她在咳血或拚命想要呼吸。

西西莉的上半身由許多枕頭撐起，她的腳趾則由泡沫塑料撐開、等指甲油風乾。她嘴裡叼著吸管對我微笑。只見她正在喝蔓越莓汁。

「怎麼了？」我氣喘吁吁地問她。

「說故事給我聽。」她說。

「什麼？」

「妳跟珍娜都不顧我，自己去玩樂。」她噘起嘴來。她的肚子有如一小彎弦月浮在她面前。離預產期不遠了——四個月。我很清楚而她渾然無覺的是：林登不想再冒險失去另一個寶寶了。他會做足準備、防患未然。要玩迷你高爾夫球，或者甚至在這個時節加溫並經過驅蟲除葉處理的水池游泳，依她的身體狀況來說都沒問題；只是她已成為這裡最嚴加看管的囚徒。

「妳們一整天都在幹麼？」她問我。

「我們玩得很開心。」我怒氣沖沖地說，因為她對我的事情根本是瞎操心。「吃棉花糖、踩彈簧墊在半空中翻筋斗。真可惜，妳不能出門。」

「還有呢？」她目光熱切、輕拍身旁的床墊。「不，等等。跟我聊聊別的地方好了。妳以前待的孤兒院怎麼樣？」

不用說也知道她會理所當然地以為我在孤兒院長大。這是她短短生命中僅知的全世界。

我盤腿坐在她的床墊上，撥去她眼前的頭髮。「我沒有在孤兒院長大，我是在城裡長大的。那裡有幾百萬居民，大樓高到如果妳想看樓頂就會頭暈目眩。」

她聽得心神盪漾。於是我又跟她說起渡輪，和為了消遣垂釣後來放生的毒魚。我把自己從故事中抽離，從第三人稱的角度和她說故事，故事裡有對雙胞胎兄妹，他們長大的家總有人彈鋼琴。那裡有薄荷糖、爸爸媽媽，和床邊故事。被子聞起來都有樟腦丸的氣味，也依稀捎來媽媽最高級的香水味，因為她會屈身親吻孩子、和他們道晚安。

「他們還待在那兒嗎？他們長大了嗎？」她問我。

「他們長大了，可是有天颶風來了，兄妹倆被吹往國家不同的兩邊，現在流離失散。」我對她說。

她一臉狐疑。「颶風把他們吹跑了？好蠢哦。」

「我發誓這是真人真事。」我說。

「颶風來了，但他們沒死？」

「這個部分可以說是恩典或是詛咒，但兄妹倆確實還活著，而且在想辦法和彼此團聚。」我說。

「那他們的爸媽呢？」她又問道。

我從床頭桌取走她的空果汁杯，「我再幫妳盛杯新鮮果汁。」

「不用。這不是妳的工作。」她按下床頭桌上頭的藍色按鈕並說：「蔓越莓汁。還要鬆餅，加糖漿。還要雨傘造型的牙籤！」

「妳真是的。」我添了這句，因為我知道對方一定在對她翻白眼，有人對著她的餐巾擤鼻涕也真的只是遲早的事。

「這個故事我喜歡，故事確定是真的嗎？妳真的認識那對雙胞胎嗎？」她說。

「真的。那個小小家正等著他們團圓。那裡有壞掉的逃生通道，以前屋外總是布滿花朵。不過這個家跟那座城市顯得格格不入。工廠排放化學製品，導致萬物難以生長。只有兄妹倆的媽媽有魔力，能把百合花種活；但她過世之後，花兒全都凋謝了。就是這樣。」我說。

「就是這樣。」她贊同地複述我的話。

等她做超音波檢查的時間到了，我便順勢離開。蓋布利歐在走廊上抓住我的胳臂。「故事都是真的嗎？」他問我。

「真的。」我說。

「那妳覺得還要等多久，才會吹起下個颱風把妳帶回家？」他說。

「想不想聽聽我最怕的是什麼？」我說。

「想。跟我說。」

「我最怕接下來這四年風平浪靜。」

不過沒有風平浪靜這回事。十月底這裡的氣候型態相當猛烈。廚房裡的員工在打賭今年第一號颶風的規模會有幾級。最多人賭三級。蓋布利歐猜二級，因為這個時節如果颶風太強實屬反常。我同意他的看法，但那只是因為我這個門外漢對此話題一無所悉。曼哈頓沒有這麼戲劇性的氣候。只要風勢一大，我便逢人就問：「這是不是颶風？它來了嗎？」廚房裡的員工聽了都笑我見識少。蓋布利歐向我保證：時候到了，我一定會知道。

池水不停翻攪，我以為它會被吸入空中。樹林和灌木無不劇烈震動。柳橙像是被鬼當球踢似地滾動。到處都是葉片，紅葉和泛棕的黃葉。沒人在的時候，我會將落葉疊成一堆，把自己埋起來，呼吸葉子的濕氣，感覺自己又變回一個小女孩了。我就這樣藏身葉片之中，直到起風，將它們如螺旋狀的緞帶吹走。「我想跟你們一起走。」我說。

有天下午我回到臥房，發現窗戶被人打開了。這是林登留給我自己去發掘的一份禮物。我試了一下，確定窗戶可以開關。我坐在窗台上聞著濕潤的土壤氣息，蕭瑟的風將萬物洗滌乾淨，我想起爸媽曾對我說過他們的童年往事。在新舊世紀交替之初，還沒天下大亂時，他們會過一個名叫萬聖節的節日，打扮得怪模怪樣和三五好友結夥外出，按別人家的門鈴討糖果吃。我爸說他最愛的糖果口味長得像是小小交通圓錐筒、尖頭是黃色的。

窗戶依舊深鎖的珍娜來到我房裡，鼻子貼著紗窗深呼吸，在自個兒的美好回憶中翱遊。她說在這種季節孤兒院會煮熱可可給大家喝。她跟她的兩個姊妹分著喝一杯，結果都會長出巧克力鬍鬚。

西西莉的窗戶也依舊上鎖，當她提出抗議，林登便推說現在她身子虛，禁不起吹風。「身子虛。假如不能快點下床，我也要害他身子虛。」他一走，她就跟我犯嘀咕。但她確實喜歡受人關注。晚上他大多與她同床共枕，提升她閱讀和書寫的能力，還餵她吃閃電泡芙，幫她揉腳。只要她一咳嗽，醫生無不慌得跟什麼似地趕來檢查她的肺。

可是她健康無虞、身強體壯。她不是蘿絲，而且老是閒不下來。有天午後，我跟珍娜趁林登沒把西西莉捧在手心的時候，關上她的房門，讓珍娜教我們跳舞。我們沒有珍娜的優雅，但這正是好玩的地方。沉浸在歡樂中的我可以遺忘珍娜舞姿如此曼妙的原因。

「哦！」西西莉叫了一聲，也因而中斷她笨拙的踮腳旋轉。我以為她又要暈了或者開始出血，但她只是來回踮腳，對我們說：「他在踢我，他在踢我！」她掀開上衣，抓我們的手貼她肚子。

哭號般的警報器像在回應似地鈴聲大作，充斥整個屋內。一顆原先沒人知道它存在的紅燈開始在天花板閃爍，我望向窗外，發現知更鳥築巢的那棵樹已經倒了。

貼身佣人催我們到地下室，這時西西莉聲淚俱下，因為她腿明明可以走路卻被逼著坐輪椅。林登沒聽見她的抗議，一部分的原因是警報器太吵，但也不全然如此。他握著她的手說：「親愛的，跟我在一起妳不會有事。」

電梯車廂降到地下室，電梯門便開啟，大家步出電梯。林登、沃恩戶長、珍娜、西西莉，和我們的貼身佣人。但不包括蓋布利歐，知道我有多怕這裡的人就只有他。警報器的聲音實在太響亮。我幻想鈴聲撼動擺放蘿絲屍體的冰冷金屬手術台，幻想她被晃得死而復生，全身縫著針線、皮肉腐爛、呈病態的綠色。我幻想她拖著腳步走向我，知道我預謀逃跑，恨得牙癢癢的。如果能把我困在林登身邊，就算把我活埋也在所不惜，因為他是她此生摯愛，所以不願任他孤伶伶地死去。

「妳還好嗎？」珍娜問我。不知為何，她輕柔的嗓音在我耳裡竟比警報器清晰。我發現她正握著我因手汗濕透了的手。我茫然地點了個頭。

電梯門一在我們背後關上，警報聲也隨之平息。寂靜意味著大家都平安無事。這個嘛，這裡指的大家是林登認為重要的人。廚房的員工和所有侍從一如承諾，仍在為府邸工作。倘若最糟的情況發生，他們全都被吸進蒼穹，反正還能找別人頂替。沃恩戶長只要出低價就能買到能幹的孤兒。

我們穿越恐怖走廊的同時，我問道：「什麼時候能吃晚餐？」

其實我真正想問的是：蓋布利歐人呢？

沃恩戶長咯咯輕笑，笑聲聽起來很可憎。他說：「這個小姑娘腦袋裡只想著吃的。親愛的，假如今晚大家都毫髮無傷，就照舊在七點上晚餐。」

我嫣然一笑、羞紅了臉，好像被他這麼一虧，我就成了個幸福的小媳婦。我希望他被吹走，希望他獨自一人站在廚房，刀呀鍋的被颶風捲起旋繞，餐盤在他的腳邊砸個粉碎。然後我希望屋頂被颳走，他被風捲起，身子愈來愈小，最後不見蹤影。

我們來到一個溫暖明亮的房間，裡頭有跟書房一樣軟而厚實的座椅；沙發床；加頂篷、罩淡紫色和白色薄紗網的床。舒適愜意。窗上貼著恬靜風景的假圖。空氣由天花板的通風口注入。西西莉哼著從輪椅起身，一發現棋盤桌就對林登置之不理。「這是一種遊戲嗎？」她問道。

「妳是說像妳這樣聰明伶俐的女孩從沒學過棋藝？」沃恩戶長說。

就算西西莉前一秒對下棋不感興趣，這一秒她興致也來了。她想接受文化陶冶的程度，不亞於對變身性感和飽讀詩書的渴望。她想超越小女孩的藩籬，全面提升自我。「教我？」她邊說邊坐下。

「親愛的，沒問題。」

痛恨沃恩戶長更甚丈夫的珍娜，在一張床的四周拉起紗網打盹兒。貼身佣人開始聊服裝、做針線活兒；他們在地下室的用處不大，但我猜沃恩戶長留他們下來的用意是：萬一府邸毀了，我們仍需找人織被子、補襪子，到時他們就能派上用場。林登鉛筆在手，坐在沙發床上，床的四周鋪滿紙張和他買來自娛的建築雜誌。

我坐在他身旁，但直到我開口問：「你在畫什麼？」他才注意到我在鄰座。

他深色的睫毛往下垂，彷彿在思量紙上有什麼值得我花時間欣賞的。然後他舉起那張紙，我看見上頭用鉛筆細膩刻畫了一棟維多利亞風格的房屋，屋子周圍花團錦簇、爬滿常春藤。但除此之外，房屋也有穩固的架構。陽台上有牢靠的梁柱和看起來堅固的窗戶。我甚至可以看見樓層輪廓的內部、與門把上掛著衣服的房門。我看見屋子裡住了一家人。窗台上有一塊派，女人的手不知是正在擺放它還是將它拿走。房屋的角度是斜的，所以我能看見它的兩面外牆。院子裡的鞦韆看樣子像是剛在擺動，小朋友盪出了紙張的角落。草地上有個碗，小狗在社區散完步或在鄰居家的花床打完盹兒回來，會在這裡喝水。

「哇。」我無意間叫了那麼一聲。

他略展笑顏，把紙張挪開，讓我能坐離他近一點。「這只是我的一個想法。我爸覺得屋裡不該畫人。他說設計圖太雜亂的話，不會有人想買；要乾乾淨淨的，這樣顧客才能想像他們住在裡面的樣子。」

他爸一如以往大錯特錯。

「我就想住在裡面。」我說。我倆肩膀相碰；這是我們下床後最親密的距離。

「畫裡有人物時，我比較能揮灑自如。人給房屋帶來一種，怎麼說呢，生氣吧。」他說。

他又給我看了好幾張他的草圖。一層樓的牧場平房，有隻貓咪在陽台上睡覺；聳入雲霄、玻璃窗微光閃爍的摩天大樓；車庫與露台；在整排朦朧的小型商場中唯一突出的商店。令我為之震驚的不是他線條的精準，而是我身旁的他有多迫不及待、興奮地指著畫作、解釋他作畫的過程。出人意料的是他竟如此活力充沛、才華洋溢，手藝如此巧奪天工。

他看起來鎮日鬱鬱寡歡，除了自怨自艾啥也做不了。原來並非一切皆如表面所見。他的設計圖引人注目，充滿了力與美，刻意延續自然狀態的生命，一如我長大的那個家園。

「以前我賣了很多設計圖……」他沒把心裡的話講完。但他不再繪畫的原因為何，我倆都心知肚明。蘿絲病了。「也會去監工，看紙上的創作躍於眼前。」

「那你怎麼不重拾畫筆？」我說。

「沒時間了。」

「多的是時間。」

這個嘛，還有四年。聊勝於無的壽命。我從他的眼神，猜到他和我心有靈犀。

他對我笑逐顏開，但我不明白他笑容的含意。大概有那麼一秒，他抬頭看見的是虹膜異色症的我。不是一個心死的女孩，更不是一縷孤魂。

他將手移到我的面前，我感覺他的指尖輕拂我下巴，伸展的手指像是將要開花。他的神情認真但溫柔。現在他比前一秒更靠近，我覺得自己被捲入他的吸引力中，也不知為何覺得想要相信他。我下唇放鬆，迎接他。

「我也想看你畫的畫！」西西莉說，我猛一張眼，從林登莫名夾緊的肘彎抽手，並轉移目光。只見懷著寶寶的西西莉正在吃糖，一塊焦糖把她左邊的腮幫子塞得好鼓。我趕緊移開，讓她坐在我倆中間，林登耐心地向她介紹他的設計。

她不明白輪胎鞦韆的繩子為什麼斷了，空蕩蕩的商店門口為什麼擺了花環。我看得出來沒多久她就對這整件事失去興趣，但為了得到他的關注，依舊滔滔不絕地聊設計圖，怎樣都不願讓出她的焦點后座。

我爬上珍娜的頂篷床，拉上背後的薄紗。

「妳睡了嗎？」我輕聲問她。

「沒。妳有沒有發現他剛差點吻了妳？」她低聲回話。

她一如往常觀察入微。她轉身面向我，目光在我身上搜索。「別忘了妳怎麼來這兒的，千萬別忘。」

「不會，絕不會忘。」我說。

但她說得對。

有那麼一秒我差點忘了。

我沉入夢鄉，暴風雨地窖的人聲變得遙遠。只要人聲傳入耳裡的，就會出現在我夢中。西西莉成了穿格子裙的小瓢蟲，沃恩戶長是隻長了卡通眼的大蟋蟀。「親愛的，妳聽我說，妳的丈夫還有兩個妻子。她們都是妳的姊妹。妳千萬別打擾他們。」他一邊說，一邊用毛茸茸的手圈著她的殼。

「可是……」她卡通般的雙眼湧現任性和憂傷。她正在吃焦糖。

「好啦好啦，吃醋的話妳漂亮的小臉蛋會變醜哦。跟妳的公公下盤棋怎樣？」沃恩說。

她是他的寵兒。有孕在身的忠誠小寵兒。

主教到F5。騎士到E3。

屋外狂風呼嘯，我反覆聽見有人說：這會是人間煉獄最寒冷的一天……

人間煉獄最寒冷的一天……

第十一章

房子沒被吹跑。除了吹斷幾棵樹之外，世界又恢復正常。

蓋布利歐找到躺在落葉堆的我。我察覺他站在我面前，便睜開雙眼。他拿著保溫瓶。

「我幫妳帶了點熱可可，妳鼻子都紅了。」

「你手指也是啊。」我說。紅如落葉。他在吐納之間呼出霧氣。他的雙眸在整個金秋時節顯得無比湛藍。

「有蟲。」他邊說邊抬下巴示意我頭上有蟲。我看了一下，發現有隻長了翅膀的小蟲跳進我的金髮中，在上頭爬呀爬。我輕輕吹氣，牠便不知去向。

「很高興你沒被吹走。」我說。他與我默契十足，把這話當作暗示，往我身旁坐。

「主屋大概有一千年的歷史了。」他邊說邊打開保溫瓶的瓶蓋。瓶蓋成了杯子，他幫我倒了點熱可可。我坐直身子，接過杯子，吸了好一會兒那香甜的熱氣。他直接就著保溫瓶喝，我注視他在皮膚底下起伏的喉結。「哪兒都不會去的。」

我望著遠處的磚房，明白他所說的是事實。

「那你打賭贏了沒？」我邊問邊啜飲熱可可。它很燙舌，把我的一小塊舌頭燙得微微腫起。「是二級颶風嗎？」

「是三級。」他說。他嘴唇跟我一樣乾裂，和身嬌肉貴的林登天壤之別；我覺得我倆在無意間成了這座荒蕪花園——這座入眠迎冬的花園——的囚徒。

「我不愛他。」我說。

「什麼？」他問我。

「林登。我不愛他。也根本不喜歡跟他共處一室。我只是想讓你知道這些。」

他突然不願看我。他又啜飲一口，這回還仰頭將熱可可的渣滓一飲而盡。最後唇上留了一小道彎彎的可可。

「我只是想讓你知道。」我重申一遍。

「知道實情真好。」他點頭說道。

我倆四目相交時都咧嘴微笑，接著笑了幾聲，起初笑得戰戰兢兢，像是向外窺視、確定沒有危險才笑得更有自信。我以手掩口，笑到歇斯底里，已不害臊。我不知笑點在哪兒，也不知究竟有啥好笑的。我只知道感覺很棒。

但願我倆可以多點時間這樣相處，哪怕只是散散步、邊走邊踢起一些枯葉也好。然而，直到我們起身，自然而然地走向主屋，我才想起我倆都是囚徒。他只有在幫我送東西的時候才能跟我講話，然後就得返回廚房的工作崗位，繼續把木製品擦亮，繼續吸地毯上永無止境的灰塵。我猜這就是他幫我送熱可可的原因。

我們離主屋愈近，香甜的可可味就變得愈淡。我舌頭被燙傷的部位開始蔓延。柔和的陰天變得不祥，枯葉像是害怕似地匆匆奔逃。

蓋布利歐正把手伸向門把，大門就開了。沃恩戶長面帶笑容地迎接我們。他背後的廚房是一片死寂，只有準備食物和打掃清潔的聲音無可避免，平時的嘈雜卻已不復在。

「我剛請他幫我送熱可可。」我說。

「當然囉，親愛的，看得出來。」沃恩戶長說。他對我們微笑時像個慈眉善目的老人家。我感覺蓋布利歐在我身邊繃緊神經，而我正在按捺一股奇怪的衝動，免得情不自禁握他的手，讓他知道雖然我面不改色卻和他同樣害怕。

「那你回去幹活兒吧。」沃恩戶長對蓋布利歐說。這種話講一遍就夠了；蓋布利歐融入廚房，成為工作聲響的一份子。

我得獨自面對這個男人。「今天真是秋高氣爽啊。空氣使我疲老的肺變得清新。」他邊說邊輕拍胸膛。「想不想跟公公一塊兒散個步呀？」其實這並不是一個問句。我倆步離主屋，穿過玫瑰園池塘間的步道。珍娜的彈簧墊覆滿一層枯葉和正在凋零的葉片。

我盡力對這個勾著我手腕的男人視而不見，他聞起來像是粗花呢布料、鬍後水，和我畏懼三分的地下室。已在佛羅里達住了好一陣子的我，遙想曼哈頓的秋葉。那裡樹不多——化學工廠剝奪了它們的光采。不過起風的時候，稀落的葉片會被吹聚在人群中，然後同時散落，營造樹葉繁茂的假象。這份記憶助我不用過度換氣，就能穿過玫瑰園。

就在我暗自竊喜，以為不用開口就能順利過關的當下，我們走到了迷你高爾夫球場，沃恩戶長對我說：「我們老一輩的有句話叫：『你是我的心上人。』有聽過嗎？」

「沒。」我說。我胸有成竹，無所畏懼。

萊茵，說謊妳最在行了。這關難不倒妳的。

「親愛的，我要說的是，妳是林登的心上人。」他深情緊擁一下我的肩膀。我覺得心臟跟肺都束緊了。「妳要知道，妳是他的最愛。」

我故作正經說：「我覺得他根本把我當作空氣，他很喜歡西西莉。」不過事實上，林登的注意力開始轉移到我身上，尤其是在地下室他差點吻了我。我還是沒搞懂，吸引他的究竟是我和蘿絲神似的外貌還是別的。

「他跟我一樣很疼西西莉。她急於討好我們，其實這點很迷人。」西西莉是個沒有童年的小女孩，她巴不得能勝任妻子這個角色，所以無論我們的丈夫有何要求，她說什麼都會達到。「可是她年紀太小了，還有很多要學的。妳同不同意？」沃恩沒等我答覆就往下說：「至於珍娜，她雖然盡了為人妻的義務，卻沒有半點妳的魅力。她就像是條冷冰冰的死魚，妳說對吧？假如有我置喙的餘地，我們會直接把她扔回水裡。」他的手指在半空中戲劇性地亂顫。「但林登堅持要把她留著。他覺得她會改變態度、為他懷小孩。這孩子總是慈悲心過剩。」

慈悲心。他殺了她的姊妹欸。

「珍娜只是比較害羞，其實心裡是喜歡林登的，只是怕自己會說錯話。她老跟我說她無法鼓起勇氣跟他說話。」這些全是我瞎掰的，我只希望沃恩能打消把她扔進水裡的念頭。無論他言下之意為何，肯定都不是我樂見發生在她身上的事。

沃恩似乎對我的話充耳不聞，繼續往下說：「再來談妳，冰雪聰明，如此動人。」我們停下腳步，他以拇指和食指撫摸我的下頦。「妳一接近，他整個人都活了起來，這我都看在眼底。」

我臉色一紅，這並沒有寫在我作戲的腳本中。

「他甚至考慮要重返人群，還說要重回工作崗位。」沃恩戶長的笑容幾近真摯。他又把我摟在懷中，一起穿越高爾夫球遊戲的障礙物：咧嘴笑的小丑、巨型甜筒冰淇淋、旋轉風車、大型燈塔和它將光打進樹林的探照燈。

「很多年前我有個兒子，那時林登還沒出生呢。我的大兒子壯如牛──這又是我們老一輩慣用的俗語。」

「真的嗎？」我說。

「他活著的每天都活蹦亂跳，那時我們還沒發現毒害炸彈正一分一秒在侵蝕著下一代。後來他跟其他孩子一樣，就像妳預期自己的下場那樣魂歸九泉。」

我們再次止步；我順著他，一同坐在作為第七洞的巨型橡膠軟糖上。「林登的身子雖然不是特別健壯，卻是我僅剩的一切。」他老人家的面孔再度浮現。倘若對他了解不深，我一定會心生憐憫；但當我伸手抱他、給予安慰時，卻清楚地意識到這個人我信不過。

「打從他出生起，我便孜孜不倦地尋找解藥。在我們講話的同時，我實驗室裡有二十四小時輪班不間斷的醫學研究員在工作。我會在四年內找到解藥的。」

假如找不到呢？怕只怕林登和他妻子死後，他會拿西西莉的寶寶當白老鼠作實驗。我努力擊退這個念頭。

他輕拍我手。「我兒子會有健康的一生，他的妻子也是。你們會擁有一段真正的人生。妳沒看出來嗎？妳把他帶出蘿絲留下的黑暗，妳讓他重現生機。他將東山再起，而妳會被他摟著出席每一場派對。妳多年來嚮往的一切都將美夢成真。」

我不曉得他幹麼對我說這些，但他的存在已開始讓我作嘔。這是掛慮不安的父親照顧兒子的方式嗎？又或者是他用某種方法看穿我逃跑的意圖？他直視我的目光，眼前這個人我竟然認不得了。他看上去似乎沒平常那樣奸詐。

「聽懂我說的嗎？」他問我。

「懂，我懂。」

父母死後，我們家的地下室無可救藥地受到老鼠侵擾。牠們循排水管上來，啃咬電線、毀壞食物。鼠輩聰明得不得了，我們擺的陷阱形同虛設，於是羅恩興起下藥毒死牠們的念頭。他把麵粉、糖、水、小蘇打粉拌在一起，倒在地板上形成好幾處水坑。這招我原本並不看好，沒想到竟然奏效了。有次輪到我守夜，我看到一隻老鼠呈詭異的打轉狀態，然後倒地不起。我聽見牠微弱的嘶嘶叫，看見牠無力地抽搐。這樣的情況好像持續了幾小時牠才掛點。羅恩的實驗是恐怖的成功。

沃恩戶長在提供我一個選擇。我可以住在這個他為了尋找一個根本不存在的解藥，而解剖林登亡妻和小孩的府邸；住在這個四年後我將與世長辭、屍體全被當成實驗品的地方。不過在這短短四年中，我可以成為豪奢派對裡的耀眼人妻，這將是我的獎賞。只是我仍舊會像那隻老鼠，在痛苦中死亡。

接下來的一整天，沃恩的話都在我腦中揮之不去。他在晚餐桌的彼端對我微笑。我又想起了那隻死老鼠。

不過夜幕低垂，我把沃恩險惡的嗓音逼出心房。最近我答應自己只要爬上床，心裡想的就只有老家：該怎麼返家、家長得什麼模樣，以及在被拐來之前，我過著什麼樣的生活。

府邸裡沒人能干擾這些思緒，唯一例外的情況是我提醒自己無論林登再怎麼溫文爾雅，他都是敵非友。他從我的孿生哥哥、我的家園那兒將我竊走，為一己之私將我僭據。

於是晚上獨處的時候，我便想起哥哥；他在兒時就養成站在我前方的習慣，好像只要有天大的危難發生，在我遭殃之前他就能替我先擋下來。我想起他射殺採花賊、從虎口下救我性命後，一槍在手的神情，還有想到可能會失去我，眼底所泛起的恐懼。我想起我倆總是屬於彼此，媽媽會將我們十指緊扣，叫我們不要鬆手。

只要我在這棟妻妾與佣僕成群的府邸獨處，利用幾小時的時間把自己從這個虛偽的生活中抽離，這些鄉愁就會每晚積累。無論它使我感到多孤獨、孤獨感有多深遠恐怖，起碼我還記得自己是誰。

後來有一晚我昏昏入睡之際，依稀聽見林登走進臥房、關上房門。但他距我千哩之遙，因為我與羅恩同在，和他一塊兒整理風箏線。媽媽開朗的笑聲充盈滿屋，爸爸坐在鋼琴前以G小調彈莫札特奏鳴曲。羅恩漫不經心地解開纏在我指間的風箏線，並問我是不是還活著。我想笑他瘋言瘋語，偏偏笑不出來，而他也沒抬頭看我。

他說：「我會一直找妳。絕不會停。就算沒命了也要找到妳。」

「我就在這兒啊。」我說。

「妳在作夢。」他說。但聲音並不屬於我哥。林登把臉埋進我的頸彎。樂聲消逝；我手指忙亂地尋找不存在的風箏線。我恍然大悟：要是睜開雙眼，就會看見豪奢囚室裡的黑暗臥室。但我沒有設法將思緒從朦朧的狀態中解套，因為這失望教我承受不起。

我感到林登淚濕我的皮膚，以及他顫動的喘息。我知道他夢見蘿絲了；跟我一樣，他的夜晚多半太過孤寂。他吻我的頭髮，一手環抱著我。我默許了。不，我很渴望。很嚮往。閉著眼的我，頭躺在他的胸膛，聆聽他心臟強而有力的怦怦作響。

是的，我想做自己。萊茵．艾勒里。人家的妹妹、人家的女兒。可是有時候太痛苦了。俘虜者把我往懷裡拉，於是我在他呼吸聲的包裹下睡著。

隔天早晨林登呼在我頸背的氣息喚醒了我。我背對著他，他緊貼我的背、雙臂環繞我。我一動也不動地躺著，不願吵醒他，也為自己昨晚的脆弱感到羞愧。從什麼時候開始這場賢妻秀不再只是逢場作戲？還要多久，他會說他愛我、想要我幫他生寶寶？更可怕的是，還要多久我會答應？

不。這些事絕對不會發生。

我試圖抵抗，但沃恩的嗓音湧現腦海。

妳多年來嚮往的一切都將美夢成真。

我可以擁有這些。當林登的新娘，住林登的豪宅。也可以拔腿就逃，拚了命地飛奔，能跑多遠是多遠。然後子彈穿孔，我伴隨著自由垂死。

三天後，下一個颶風警報鈴聲大作，我趁機弄破臥室的紗窗逃出。

我勉強搆著離窗台近的那棵樹，藉由它掉進幾呎底下的一株灌木。痛歸痛，但我毫髮無傷。我掙脫灌木、開始狂奔，任憑主屋在我背後嘶吼、疾風蒙上詭異的一層灰紗。樹葉跟頭髮都跑進我眼裡。管它的。我繼續跑。烏雲陣陣悸動。天際劃過慘澹的閃光。

我失去方向感。眼前只見昏暗險惡的空氣。嘈雜聲四起，無論我跑得多快就是無法平息。污泥和小草像著魔似地飛起亂舞。

我不曉得究竟過了多久時間，但我聽到有人呼喊我的名字，像是槍響，起初一下，後來連著幾發。就在此刻，我迎頭撞上巨型冰淇淋甜筒。原來這裡是高爾夫球場。好，知道自己身在何方就好分東西南北了。

出口還有多遠，我不清楚。我去過每座園子、高爾夫球場、網球場，和泳池。我甚至經過蘿絲生病後就廢棄了的馬廄。但就是沒看到出口。

我身子緊貼著巨型巧克力勺，看著樹枝飛過面前。樹木搖晃呼嘯。樹！假如我能爬上其中一棵，就可以看得更遠了。肯定有什麼柵欄或灌木是我沒見過的。或者一道密門。總有些什麼。

才踏出一步，我又被風吹得貼回勺子。肺裡的空氣被抽空了。我頹然倒地，想要背對風免得無法呼吸，豈料強風無所不在。它無所不在，而我八成會死在這裡。

我上氣不接下氣，轉身面對暴風雨。沒想到死前再也見不著外面的世界，唯一能見的就是這個古怪的烏托邦。旋轉的風車。詭異的閃光。

光。我以為是我眼睛有問題，可是光始終沒消失。它轉呀轉的，一下照到我，然後又繼續繞圈子。燈塔。這是我最愛的障礙物，因為它使我想起曼哈頓港灣的燈塔，那領著漁船回家的光。它在風雨中依舊閃爍，把光投射入林；就算我逃不了，至少也要在燈塔旁善終，因為那是我在這個鬼地方離家最近之處。

現在我寸步難行。太多東西在空中飛舞，我真的以為自己會被吹跑，索性選擇匍匐前進，將手肘和腳趾硬擠進高爾夫球場的人工草皮，製造附著摩擦力。只要是人家呼喚我、警笛持續不輟，以及疼痛突襲我身體某處的方向，我都避而遠之。我雖沒探尋傷口在哪，卻知道已見紅了。因為我能嚐到血味，感覺到血積成一灘、開始流淌。我只在乎不要癱瘓就好。我可以持續前進，絕不停滯原地，最後終於碰到燈塔。

眼看它油漆剝落、木頭碎裂。儘管達成目標了，這個不可思議的小建築物卻似乎說我命不該絕。繼續前進吧。問題是我無路可走啊。我雙手摸索解答，尋找往燈源爬的路。

我緊抓著梯子不放。但那不是給人爬的梯子，而是純屬裝飾，脆弱易鎖地釘在燈塔側身。但要爬還是可以，反正我的身子也挺得住，便索性往上爬了。就這樣爬呀爬地一直爬。

現在連手都流血了。不知什麼東西滴進眼裡，刺得我眼睛好疼。我的胸腔中的氣又被抽空了，但還是爬呀爬地一直爬。

我覺得自己爬了個沒完沒了。爬了整夜。爬了一輩子。但我還是爬到塔頂了，燈光以讓我感到刺眼向我問候。我別過頭去。

差點跌下塔。

現在我比所有的樹都還要高。

我看見它了，就在那遠得要命的彼端。它像是一聲低語。像是害羞的小小暗示。鐵門上有蓋布利歐手帕上繡的尖頭花。

它是離我幾哩遠的出口。

也是世界的盡頭。

我終於明白燈塔想對我說的了。原來我今天命不該絕，我該循著它為我照亮的那條路走——就像哥倫布和他的尼那、平塔、和聖塔馬利亞號——駛向世界的盡頭。

遠方的大門是我這輩子見過最美的事物。

我正準備往下爬時，又聽見自己的名字。這回聲音響亮且逼近，教我無法充耳不聞。

「萊茵！」

蓋布利歐的碧眼和亮褐色的頭髮，以及他比林登壯多了的胳臂，正迎面而來。不是整個他、不是全身，而是他的身影，在風中隱沒、搖曳。我看見他張著的嘴、那猛烈而憤怒的紅。

「我要逃出去了！跟我走！跟我一起逃跑！」我尖叫道。

但他只是愈加拚命地喊著：「萊茵！萊茵！」我猜他沒聽到我在說什麼。我不懂他為什麼要張開雙臂，也不懂他在對我吼什麼，直到一下劇痛劈到我的後腦杓，我直接跌進他張開的雙臂。

第十二章

空氣悄然，四周平靜。少了會僭據我肺裡空氣的疾風，我又可以呼吸了。這是消毒水和抗菌劑的氣味。「不要。」我說，或試著說。我睜不開眼睛。沃恩在這兒。我感覺到他在現場。我可以聞到他冰冷的金屬解剖刀。他要把我開腸剖肚了。

有什麼東西暖暖、流過我的血液。我感覺心臟隨著侵入式的響亮嗶嗶聲跳動。

他問我能不能張開眼睛。

但真正喚醒我的是茶香。儘管第六感告訴我這不是真的，我卻覺得羅恩人在這裡，他拿一杯皇家伯爵茶叫我起床守夜。可是我人一醒，眼神對上的卻是林登熱切的綠眼。他的嘴唇看起來顏色更紅，割傷了，流血了。古怪的紫色鞭痕在他的臉上和喉頭蔓延成圈。他的雙手緊握我的，一用力就把我的手捏得好痛。

「謝天謝地。」他說著說著便把臉埋進我的肩膀，嗚咽地抽搐了一下。「妳醒了。」

我吐了，當眼前再度轉為一片漆黑，我仍感到作嘔。

多年之後，我睜開雙眼。強風仍像亡靈般哭號，強而有力地擊打窗子，試圖闖進我的臥室把我拐跑。我尋覓燈塔的光，可是遍尋不著。

林登在我身旁安睡，跟我躺在同一塊枕頭上。我這才發現夢中呼嘯的狂風原來是他對著我耳畔呼出的氣息。呼吸中帶有微微的喘氣聲。

我躺著恢復神智，意識到這根本不是多年過後。林登的面容依舊光滑年輕，只是有點瘀傷；而我仍然戴著他的婚戒，仍然困在這棟永遠吹不跑的世紀古宅。

房裡還有其他新鮮奇怪的玩意兒供我觀察。我的前臂扎了一根針，它導向一袋吊在金屬架上的液體。有個亮著的螢幕不間斷地轉播我的脈搏速度。平穩而有條不紊。我想坐起來，但每根肋骨都在發疼，一根接著一根，像是木琴在演奏時斷裂。我的一條腿懸在某種吊帶上。

林登察覺我在他身旁移動，咕噥一聲醒來。我趕緊閉眼假寐。我不想見到他。餘生的每天都要見到他已經夠慘的了。

因為無論我跑到哪兒去、無論我怎麼努力，最終還是會回到這裡。

當我再也受不了持續昏睡後，川流不息的訪客也開始湧進我的臥房探病。林登總是隨侍在側，幫我把枕頭弄鬆、畫他的設計圖、拿書房的書讀給我聽。我覺得《科學怪人》的諷刺意涵令人心神不寧。狄德麗、珍娜、西西莉才陪我沒幾秒，林登就推說我需要休息了。沃恩戶長，身兼醫生和憂心忡忡的公公，完整報告我哪裡斷了、哪裡扭傷、哪裡又骨折。「親愛的，妳真的把自己傷得不成人樣啊，但幸好遇上我這個妙手回春的良醫。」他說。在我精神恍惚的治療期間，他化身為會說話的某種蛇，告訴我不能讓左腳踝承受重量至少兩週，起碼還有一陣子呼吸會感到疼痛。我不在乎。這無所謂。反正我有整個餘生的時間躺在這個悽慘的房間復原。

時間已失去所有意義；我不曉得自己究竟躺在這張床上多久了。我在昏睡與清醒間游移，每次一張開眼就有不同的事物等著我。林登為我朗讀。我的姊妹妻蜷縮在門口，對我的病情皺眉蹙額；我盯著她們瞧，直到愁容從她們臉上融化，直到她們的眼睛變黑。我全身上下都在痛，除此之外還有沉重的麻木感。

「我必須承認，颶風比通風孔更偏激。」沃恩的嗓音飄送而來。我努力想要睜眼，卻只看見一團糊掉的顏色。他那抹髮油往後梳的黑髮。什麼暖暖的玩意兒在我靜脈奔湧；我發現肋骨居然不疼了，如釋重負地打了個寒顫。「妳知不知道妳死去的姊妹妻就是這麼幹的？爬通風孔！在被人發現之前，她爬通風管爬過整條走廊。真是個古靈精怪的小女孩，當年她只有十一歲呢。」

蘿絲……我的話就是說不到嘴邊。

我感覺沃恩薄如紙的雙手拂過我的前額，可是我再也張不開眼睛了。他熱呼呼的氣息隨著帶有回音的話，旋繞注入我的耳門。「當然沒人忍心責怪這個女孩；畢竟人家父母就是這樣教的嘛。她的爸媽是我同事，事實上他們是相當受人景仰的外科醫生。他們周遊各州，到處散播瘋狂的陰謀，說什麼如果我們找不到解藥，在那片汪洋中的荒地肯定有倖存的國家能幫助我們。他們灌輸她有關滅絕國度的鬼話，說得跟真的一樣。」

又是一道暖流注入我的血液。在沃恩的用藥之下，我更顯麻木。他在幫我注射什麼？我將所有的力量移到眼瞼，設法睜開雙眼。房間景物重疊，現形的程度只夠我辨別林登不在身旁，姊妹妻也沒站在門口了。

「噓，不要緊的。」沃恩說，並用拇指和食指闔上我的眼。「聽我說床邊故事，只是恐怕結局不太完美。他們無論走到哪兒都帶著那個女孩，大肆宣揚他們的無稽之談。妳知道結果他們怎麼了嗎？車庫裡被人放了顆汽車炸彈，她就這樣成了無父無母的孤兒。外面的世界真可怕，是不是？」

炸彈。我在曼哈頓聽過，遠處砰的一聲，我就知道有人死了。這可不是什麼我想要重溫的回憶，我出自本能地想移動身子，但在我靜脈中流動的液體令我無法動彈。

「外面的世界有人不想要解藥。他們認為世界末日近了，最好的方法就是讓人類滅亡。他們會殺了試圖拯救人類的人。」

我知道！這事我聽過！爸媽在實驗室工作，為此收到很多死亡威脅。有兩個敵對的陣營：一派支持科學，贊成進行基因研究和尋找解藥；另一派擁戴自然主義，認為補救為時已晚；養兒育女並且把他們當作實驗對象的行為違反道德。一言以蔽之，擁戴自然主義者認為人類滅絕是自然現象。

「不過妳很幸運，在這裡不愁受凍、安全無虞。妳不會想破壞妳在這裡擁有的美好吧。妳比自己想像中還要特別；要是林登失去妳，將會從此一蹶不振。妳不會希望發生這種事的。」沃恩說。

蘿絲試圖勸阻我逃跑的舉動突然間說得通了。這不只因為她希望死後林登有個伴，而是想要警告我，免得我遭逢當年她試圖試跑所面對的懲罰。是她，而不是沃恩，對著我的耳朵輕聲說出最後一句話：

「假如妳珍惜自己的生命，就不會再逃跑了。」

第十三章

林登似乎不曉得我是為了逃離他身邊才負傷的。

「我跟他說風雨來襲時妳人在花園。」有天午後珍娜對我輕聲耳語，那時林登以雙臂防禦性地勾著我的手肘，安然沉睡。「我看見妳爬出窗外。妳到底在幹麼啊？」

「我不知道，無論我想幹麼，還不都失敗了。」我說。

她看我的神情像是想要抱我，但我又偏偏抱不得，光是躺著受人探視我就夠難受了。

「他相信妳的說詞嗎？」我問道。

「雖然連窗子都壞了，林登總督還是信了我。不過沃恩戶長是怎麼想的我就不曉得了。廚房裡上上下下都說風雨來襲之前，看見妳人在花園，還說妳聽見警報聲就想趕回屋內。眾口一詞應該夠有說服力了。」

「他們真是這麼說的？」我問她。

她淺淺一笑，把我的頭髮塞耳後。「他們一定很喜歡妳，尤其是蓋布利歐。」

蓋布利歐！他那刺穿狂風暴雨的碧眼和敞開的雙臂。我記得自己倒進他懷裡。我記得在世界化為虛無前的安全感。

「他來找我。」我說。

「屋裡有一半的人都出去找妳了，就連林登總督也不例外。他還被幾根在空中飛舞的樹枝砸中。」她說。

林登。與我同床共枕的他滿是瘀傷。他的嘴角流出一點鮮血，我用手指將它抹去。

「我還以為妳死了，蓋布利歐把妳抱進廚房的時候，妳看起來好像每根骨頭都斷了。」她說。

「斷得差不多了。」我說。

「西西莉放聲叫個不停，得動用三名侍從才能把她拽回房間。戶長說如果再不靜下來，她就會流產。不過後來她當然沒事。妳也知道她這個人。」

「那蓋布利歐呢？」我說。醒來後我還沒見過他，也還是不知道時間究竟過去多久。

林登睡夢中的咕噥囈語把我嚇了一跳。他用鼻子緊挨我的肩膀，我等他睜眼，但他的呼吸伴隨著睡夢，依舊深沉平穩。

珍娜眼神突然變得嚴肅，屈身向我靠攏。縱使我倆已輕聲細語，她仍想加倍確定沒人聽見我倆的對話。「我不曉得你們之間是怎麼回事，但無論如何千萬小心，好嗎？我覺得沃恩戶長好像察覺到哪裡不對勁。」

沃恩。光是提到他名字就讓我熱血降溫。之前他爆蘿絲的料我還沒跟任何人提過，一方面因為記憶太過模糊，我分不清究竟是真是夢，另一方面我怕他會報復，於是強迫自己把他拋諸腦後。

珍娜的問題我不知該如何回答，因為我也不曉得我跟蓋布利歐之間是怎麼了。如今我能想到的只有每當沃恩靠近，就令蓋布利歐全身僵直的恐懼。他是不是受到威脅？我痛苦地嚥下一口唾沫。「他還好嗎？」

「他沒事，只是有點刮傷。他進來過好幾次，只不過妳都在睡覺。」

府邸內的動靜問珍娜準沒錯。她雖靜如房屋的背景裝置，可是啥也逃不過她的靜觀默察。我想起沃恩說要把她扔回水裡，想起她的姊妹在廂型車裡遭人擊斃，就忍不住淚水盈眶，人也不由自主地啜泣起來，她見狀「噓」了幾聲，並親吻我的前額。「沒事的，我會留心注意他。沒事的。」她低語道。

「怎麼可能會沒事。」我哽咽地說。但我不能再多說什麼，因為我怕沃恩戶長會在暗中竊聽。每件事他都瞭若指掌。這個可怕的男人無所不在，沒有人能逃出他的魔掌。他說得對，最後我會在這裡長眠不醒，所以何不過得舒服一點。我開始覺得俘虜我的元兇是沃恩，睡在我身邊的男人和他的新娘一樣都是囚徒。

直到我精疲力盡、肋骨、雙腿和腦袋都痛到我無法保持清醒，珍娜才離去。

到了早上我發現西西莉焦慮不安地站在門口。她懷孕的徵兆變得更加明顯，雙臂和兩腿纖細，肚子成了一輪滿月。「嗨。」她說。那是她的娃娃音。

「嗨。」我的嗓音宛如碎玻璃，但我知道清喉嚨一定會痛。我想起珍娜說的，想起西西莉看見我被抱回來時聲嘶力竭地尖叫。

「妳覺得怎麼樣？」她問道。我還沒來得及答話，她就伸出藏在背後的手，只見她手上捧了一瓶星型白花。「百合花，跟妳故事裡的花一樣。」

它們確實像是我媽種的百合花，從雄蕊蔓延的玫紅色線條好似溢出的墨汁。西西莉將那瓶花擱在我的床頭桌，然後摸了摸我的前額。「妳有點燒欸。」她說。

她是個假扮母親的小女孩。辦家家酒。或許是我體內的止痛劑作祟，我竟覺得她是個可人兒。「過來。」我邊說邊對她張開吊點滴的手，她也毫不猶豫地靠過來。她抱我時特別留意我的肋骨，只是緊抓我的睡袍，淚水沾濕我的脖子。

「我好怕哦。」她說。這座大宅是她夢想中的完美家園。沒有人該受傷。每件事都該幸福美滿直到永遠。

「我也是。」我說。我現在還是心有餘悸。

「我能為妳做什麼？」她哭了一會兒，拭乾臉頰的淚水後說。

我對著與我同床共枕的林登抬下巴示意。「把他弄出去一陣子，成天窩在這裡擔心我對他不好。看能不能拉他玩什麼遊戲或找什麼樂子。」我說。

她喜上眉梢，點了點頭。提振丈夫的精神就屬她最在行，她也知道這是幫我一個忙。況且她也不會錯過任何機會擁有林登專一的關注。

接近中午時分，她吵著說要林登陪、要是他不陪她下棋，她就要哭了，這招成功說服了林登。他不願她掉眼淚，怕她一哭就會流產。

我也因此得到有限形式的自由。

我享受片刻寧靜，在現實與夏日夢境間遊移。一切是那麼溫暖明亮。媽媽的手。爸爸在彈鋼琴。鄰家小女孩的嗓音在我手中的紙杯嗡嗡響。

接著是另一個人聲，我猛一睜眼，速度快到整個房間天旋地轉。

「萊茵？」

無論在哪兒，我總能聽見蓋布利歐的嗓音。即使在颶風中也不例外。

渾身刮傷和瘀傷的他，此刻站在我的門口，手裡拿著什麼我看不出來。我掙扎著想坐起身，身子卻不聽使喚，於是他進房裡坐在我身旁。他開口想說話，但我搶先一步。

「我很抱歉。」我說。

他把手裡的東西擱在床上，雙手握住我的手，此時我獲得的安全感跟先前跌進他懷裡完全一樣。

「妳還好嗎？」他問我。

這是個簡單的問題。因為他是我的救命恩人，我決定告訴他實話，但真相中不中聽就見人見智了。「不好。」

他凝視我的臉龐好一會兒，我無法想像自己看起來有多可悲。但他看的似乎根本不是我；我的面容將他帶到遙遠的別處。

「怎麼了？你在想什麼？」我說。

他沉默片刻才回答：「妳差點要走了。」他指的不是我差點逃跑了。

我再度張嘴，其實不知該說什麼，也許是想再次道歉吧。但他把我的臉捧在掌心，和我互貼額頭。他距離近到我能感覺他呼出的微弱暖流，我只知道當他吸下一口氣時，我也想被他吸走。

我倆雙唇相觸，輕到像是幾乎完全沒有觸碰。接著再次貼近，猶豫不決地往回縮又再次相觸。一股暖流竄進我理應疼痛的破碎身軀，我將雙臂環繞他的頸背，緊抓住他。我之所以緊抓不放，是因為在這裡你永遠不知道美好的事物何時會被奪走。

拆散我倆的是走廊的一陣聲響。蓋布利歐起身向走廊探頭，再望向窗外。這裡沒別人，但我倆都嚇壞了。有太多事要謹慎提防。

心跳聲在耳裡怦怦響，令我有點難以呼吸的是這心醉神迷，而非身體的疼痛或呼嘯的狂風。蓋布利歐清清嗓子。他雙頰漾起溫暖的粉色，兩眼呈昏然欲睡的朦朧。氣氛變得有點尷尬。「我帶了東西給妳。」他眼神迴避地對我說，並舉起剛才拿來的東西。那是本沉甸甸的書，封面印了一顆紅色的地球。

「你把林登的地圖集帶來啦？」我狐疑地說。

「對，妳看。」他攤開全是褐色和米黃色的一頁，上頭以藍線繪製地圖。頁首的文字寫著：歐洲的河流。一旁則列出地標與河流。蓋布利歐指向第三個名詞。萊茵。他手指沿著一整條藍線拂掠。「萊茵是一條河。」他說。

這個嘛，應該說它在萬物摧毀前是一條河。但我以前從沒聽過。我爸媽肯定知道，他們很熱中於神祕科學家的身分，還有好多事他們沒機會跟我和哥哥說。

我的手指也隨著蓋布利歐劃過那條不復存在的河流脈絡。可是我覺得它沒有消失。我猜它是漲溢泛濫、湧進大海，在鐵門尖頭花彼端的某處投奔自由。

「我都不知道，我以為我的名字不具任何意義。」我說。

我向蘿絲自我介紹時，她說這個地方很美，難道就是這個意思？

「書上寫它是條運河，但此外沒其他介紹了。」他的語氣聽起來很失望。

「沒關係！」

我輕笑幾聲，胳臂圈著他的頸背把他拉近，感激地親吻他的臉頰。他的臉立刻轉為狂野的紅，而我也是。

他不曉得這對我來說有何意義，但從他的眼神我可以看出他知道這是件好事。他拂去我前額的頭髮並凝視我。萊茵。在彼端某處的那條河，已掙脫了束縛。

第十四章

一整晚河水都在夢裡與我相伴，而水底是那長了尖葉的璀璨花朵。

「妳帶著微笑睡覺。」我一睜眼，林登便對我說。他坐在窗台上，一手拿著鉛筆，大腿擱著一幅畫；好多紙堆在他身旁，看得出來他已工作一陣子了。我憶起沃恩說過我讓林登重操舊業。我還是不懂沃恩跟我說這些用意為何，但至少這是實情。林登最近時常埋首創作，而激勵他的人或許就是我。

「我夢到我們住在你畫的那棟房子，窗畔擱著派，庭院裡有鞦韆。」這全是我瞎掰的，只有從我口中吐露，那甘甜的幸福感是真的。窗外的景色告訴我今天是美好的一天。

林登對我綻露笑顏，他如釋重負卻又沒把握。他不習慣見到我這個樣子，說不定覺得該感謝止痛劑。我試著移動身子，發現不像之前那麼疼痛難耐了。我已能坐直、靠著枕頭支撐身體。

「聽說你在狂風暴雨中出去找我。」我說。

他放下手邊的工作，到床上陪我。他嘴唇的傷口正在癒合，看起來像個在操場跟人打架的野孩子。我試著想像他孱弱纖細的身子冒著颶風前進。但我猜他走不遠，要不是被風捲跑、被人救走，就是丟掉小命。

「我以為我要失去妳了。」他說。而我分不清他唇邊泛起的是笑意還是愁容。

「起風之後我就迷路了，找不到回來的路。我找得好辛苦哦。」我說。

「我知道。」他輕拍我的手，他的眼神寫滿憂傷，看到之後，我好恨自己扯謊。林登似乎就是有魔力讓我萌生內疚。

他說：「我有東西想給妳看。」

他說我有一個禮拜大多不省人事。擊中我後腦杓的，是一片風車的槳葉。其他雜七雜八的傷勢來自近如網球場、遠至馬廄的破瓦殘礫，但他叫我不要擔心，因為他爸已雇人清潔整理，善後做得很棒。他表示真正的損失在我身上，還說在我漫長的昏迷期間，咕噥著老鼠、沉船、爆炸案，而且老是把爆炸案掛在嘴邊，嘀咕著要試圖止血。

謝天謝地這些夢魘我一個都記不得了。

但他什麼都聽見了。他隨侍在側，既然無法與我溝通，索性努力用畫筆勾勒出我的夢境。他遲疑了一下才給我看第一張畫紙，把它搞得好像什麼犯罪現場的照片。

然後他將畫作全給我看。

「電視會轉播展覽嗎？」我問道。

「不會轉播這些。它們不像剪綵典禮跟落成典禮晚宴那麼精采。」

「什麼是落成典禮晚宴？」西西莉提問，再次捍衛她在我倆之間的存在感。

林登解釋，世界在這個狀況（狀況是指人類苟延殘喘）下，只要有新大樓啟用就值得慶祝。好比說醫院或汽車經銷商。它象徵著人類仍持續對社會作出貢獻，也還沒放棄情況將會改善的希望。於是乎有落成典禮晚宴，舉辦者通常是建造該樓房的個人或公司行號，只要參與建樓的人都能共襄盛舉一同慶祝。「就像新年派對，只不過慶祝的原因是新大樓。」林登說。

「為什麼我不能參加落成典禮晚宴？」西西莉說。

林登把手擱在她的肚子上說：「親愛的，可是妳有任務在身呀。妳不知道這有多重要嗎？」

「那等寶寶出生後我再去。」她說。

他微笑著吻她。她也任他親吻，顯然他倆已這麼親密好一陣子了。「接下來妳就要照顧寶寶啦。」他說。

「有時候可以交給愛兒照顧嘛。」她開始鬧情緒了，於是林登說這件事他們可以待會兒私下討論，但她偏偏說：「不要，現在就講清楚。」她目中噙淚，完全忘了扔在我大腿上的那本懷孕常識書。

「西西莉……」我說。

「不公平！」她轉身面向我。「我什麼都給他了，想去派對就該讓我去啊。妳做了什麼？又放棄了什麼？」

我放棄的可多了，西西莉。比妳知道的還多。

我怒火中燒，氣得連骨頭都發疼。她在激我，我不吭一聲但忍得好辛苦。我非得保持緘默。非得這麼做不可，要是我逞一時口舌之快吐露實情，這輩子就休想擺脫囚徒的身分了。我才不會把這場展覽跟任何一場派對的出席機會拱手讓人，因為這些都是屬於我的。是我唯一讓哥哥知道我還活在人世的機會。這是我應得的。輪不到她。

她瞪大雙眼、淚眼汪汪，啜泣聲帶著哭腔還不時打嗝。林登將她抱起，將她圓圓小小的身體抱在懷裡帶走。我聽見她在走廊上號啕大哭。

我火冒三丈地坐在床上，盯著幾天前她帶給我的百合花。花兒開始解體。花瓶周圍淨是凋零的花瓣，片片枯萎有如碎皺紋紙。這就像是凝望一具美麗屍體無法瞑目的雙眸。

西西莉的好意總是無法持久。

我跟蓋布利歐一直對彼此的互動方式小心翼翼。我可以花整個早上的時間回憶那個吻；他現身送午餐給我時，我們交談的話題僅止於天氣。他說些天氣變冷了、他覺得可能會下雪的話。

「你幫西西莉送午餐了沒？」他把托盤擱在我大腿上，我這麼問他。我臥病在床，很難有機會見他。我不能跟著工作的他到處跑，也無法偷得與他在其中一座園裡獨處的片刻時光。

「送了，她拿盛調味醬的船形碟丟我。」他發起牢騷。

我忍俊不禁。「不會吧。」

「因為馬鈴薯她要烤兩遍，光烤一遍不夠。像她這樣有孕在身的女孩，沒想到拿東西砸人奇準無比。」最後一句是他在刻意挖苦。我們都知道西西莉完全不是林登和沃恩以為的那樣嬌弱。「她大小姐心情可好了。」

「這也許是我害的，昨晚林登說他考慮帶我參加他的什麼大樓設計晚宴，結果西西莉就發作啦，因為她沒受邀。」我說。

他扮了張鬼臉，坐在我的床邊。「妳對落成典禮晚宴有興趣？」

「蓋布利歐，這或許是我唯一的出路。」我輕聲說道。

他看了我一會兒，表情神祕莫測，接著把視線轉向自己的大腿。「這大概不是妳最糟的逃亡計畫吧？」

「這我很難反駁你。畢竟我現在坐著，全身上了四種不同的石膏。」

「待在這裡真有這麼難嗎？」他問我。接著他雙眸滿是驚慌。「是不是總督逼妳做什麼啦？我指的是在床上。」他雙頰像著火一般。

「不是！」我說。我伸手搭著他的手。「沒有那回事。蓋布利歐，我沒辦法在這裡度餘生。」

「有何不可？自由世界有啥是妳在這裡得不到的？」他說。

「首先是我哥，還有我家。」我捏捏他的手，他不明所以地望著我的手。我問他：「怎麼了？」

「我覺得外面很危險，我覺得妳應該留下來。」他說。

他臉上的神情教人摸不透。這並非那天在泳池畔的冷酷或憤怒。他的口吻並不尖酸刻薄，而是另有隱情。「如果我要你跟我一起走呢？」

「什麼？」

「颶風來襲的那晚，我站在燈塔上，見你向我迎面而來，我嚷著『跟我一起逃跑』，可是你沒聽見。我看見柵欄了。我本來打算翻過柵欄逃走的。但風車的巨型殘骸馬上就把妳砸得不省人事。萊茵，這很危險。我知道妳說的不是趁下次颶風來襲時逃跑，但妳打算怎麼做？妳覺得只要跟他參加派對，妳就可以正大光明地走出大門？」

「事實上沒錯，有這個可能。」我說。但話一出口我就心虛了。

蓋布利歐把我倆中間的托盤移開，握住我的雙手並屈身貼近。我房門大敞、再加上每個人都在家，他這麼做是冒著極大的風險，但一時之間這似乎也無關緊要。他說：「無論是颶風還是派對，全都一樣，都很危險。總督不會讓妳就這麼走掉，戶長也一樣。幾個月前他甚至准妳開窗、答應讓妳離開府邸，結果妳猜怎麼著？沃恩戶長在講要取消這些特權呢。」

「你怎麼知道？」我問道。

「他對所有的侍從說，要是妳或西西莉或珍娜想用我們的鑰匙卡刷電梯，我們必須先徵求他的許可。」

「這是什麼時候的事？」

「在妳身體接了五種不同的機器，跟死神搏鬥的時候。」他說。

我捏著他的手，「我不是在跟死神搏鬥，假如真能如我所願，我寧可當場死掉、一了百了。但你知道是什麼驅使我每天活下去？是那條河。萊茵河。我爸媽幫我取這個名字應該是有原因的。這大概意味著我該跨出去。這才是我為生命奮鬥的動力。」

「跨去哪裡？」

「我不知道！」這個節骨眼還講究邏輯真是要我的命。一提邏輯我的計畫似乎全都了無希望。「只要不是待在這裡，去哪兒都好。那你到底要不要跟我一起走？」

他揚起一邊眉毛。「沒有我妳走不走？」

「不走，我死也要把你拽走。」我咧嘴而笑，而他也終於卸下武裝、對我閃現他難得一見的笑容。

「妳知不知道妳是個瘋子？」他說。

「只有這樣我才能活下去。」我說。見他傾身向前，令我莫名亢奮，有預感要和他接吻了。正當我開始閉眼、他手輕撫我的臉頰的當下，門框上傳來一聲敲擊。

狄德麗邊說邊指著手中的托盤，「不好意思打擾了，沃恩戶長要我給妳送點阿斯匹靈。」

蓋布利歐抽回身子，但從他的眼神我知道他想觸摸我。最後他只說了句：「待會兒見。」

「再聊。」

等他一走，狄德麗就遞給我兩顆白色藥丸和一杯水。我嚥下藥丸後說：「妳沒打擾我們啦，我跟蓋布利歐之間沒什麼。我是說……」

我絞盡腦汁思索適當的措辭，兩頰也羞得緋紅，但狄德麗只是微笑。「沒關係，沃恩戶長根本不在家。他要我送阿斯匹靈給妳之後就被叫回醫院去了。」她走到我的梳妝台前，帶了一管護唇膏抹在我龜裂的唇上。然後她為我弄蓬枕頭。「今天天氣很好。要不要我幫妳開窗？」

「不用了。真的，我沒事。」我說。她好久沒對我噓寒問暖了，如今擔心全寫在她的眼底。我忠實的小貼身用人。

「沃恩戶長對妳說了什麼？」她突然壓低音量，把我嚇了一跳。

「啥？」

「妳睡覺的時候，至少是我以為妳在睡覺的時候，我幫妳帶新枕頭來。但沃恩戶長在妳房裡，他叫我出去。我待在走廊想要偷聽。對不起；我知道不該這麼做的。我只是……」她內疚地盯著自己的腳。

她淚如泉湧。這真不像她的作風，所以起初我以為我又發燒了，還開始產生幻覺。「我只是以為他準備要傷害妳。」

我伸手搭她顫抖的手。「妳怎麼會這麼想？」

她嗚咽地說：「哦，萊茵，假如上回妳有意逃跑，這種傻事千萬別幹第二次。妳是絕對逃不了的，而且他會讓妳在這裡的日子生不如死。」

「我沒有逃跑的意思呀。」我說。

她搖搖頭。「重點是萬一他認定妳有這個意思，妳就完了。妳不會懂的。妳不懂他如果沒有稱心如意就不會讓別人好過。」

我輕輕把她拉向我，「狄德麗，妳想跟我說什麼？」

她淚流滿面、不停啜泣。「蘿絲小姐從來不想生寶寶，她從沒這個念頭。以前她跟沃恩戶長總是為了這件事吵個沒完。她不相信他會找到解藥，也不願又有孩子出生就是為了等死。他稱她是自然主義的擁護者。我能聽見他們對彼此大呼小叫。有次我幫她收衣服，不得不躲進衣櫃，就是怕無端捲進他們的紛爭。」

她往我床邊一坐，拭去眼眶的淚水，卻有更多的眼淚奪眶而出。「後來她懷孕了，縱使是意料之外的事，她還是為新生命的到來興奮。她叫我教她編織，織了條毛毯放嬰兒床。」

她回憶往事、泛起微笑，但這個笑容並不持久。「蘿絲小姐分娩時林登剛好外出參展。她產痛得太厲害了，於是沃恩戶長為她施打很重的麻醉藥。幾個小時後她麻醉退了，沃恩戶長告訴她女嬰沒能活下來，但她說什麼都不信。她堅稱自己聽到寶寶在哭，沃恩戶長說是她精神錯亂，因為寶寶根本是死胎。」

此時房間突然變得更暗更冷了。狄德麗說：「可是當時我在走廊換新的薰香，也聽見寶寶的哭聲啦。沃恩戶長對蘿絲小姐說：『妳恨不得人類滅亡，看來現在是如妳所願了。』」

我可以親耳聽見沃恩在說話，我心碎了，因為這些話好像是衝著我來的。我可以看見還活著的蘿絲痛失愛女、撫摸著肚子，幾小時前她的寶寶還在那裡活蹦亂跳。我希望她生前親口跟我說這個故事，因為此刻我巴不得能給她一個擁抱，告訴她發現這場悲劇我有多難過。我感覺她對沃恩的怒火跟我一樣強烈。她忍氣吞聲唯一的原因或許就是太愛林登。又或許她希望我能活著愛我們的丈夫，這樣也就能活著忍受沃恩了。

狄德麗繼續往下說：「哦，這讓她徹底崩潰，之後她完全變了個人。原本她有自己的貼身佣人莉迪雅，但有這麼一個小女孩在身邊打轉、提醒她曾經擁有但已不復在的愛女，這教蘿絲小姐怎麼受得了？於是最後她說服林登總督把她給賣了。至於我跟愛兒，她連看都不看一眼。」

「還有其他人知道這件事嗎？」我問她。

「沒有。他們全都以為寶寶是死胎。就算有別的揣測，也是隱忍不說。妳千萬別告訴別人啊。」

「不會，不會的，這事我誰也不說。」我邊說邊從床頭桌抽張面紙給她。

她輕拭鼻子，把面紙摺起來塞進裙子口袋。「這事我從沒跟別人說過。」縱使她淚眼汪汪，我卻能看出她肩上的擔子輕了一些。對年紀這麼小的女孩來說，這個祕密實在太恐怖了。在這裡，不，在這個世上，哪有可能要一個孩子把這麼驚人的祕密藏在心裡？我還抱著她，她允許自己暫時暴露脆弱的一面，倒在我胸前，緊抱著我。

「凡事都他說了算。所以為了妳自己好，無論他要妳幹麼，順著他的意做就是了。」

「好。」我說。但我口是心非。真要說什麼，這個故事只是加深我逃跑、加深我變成林登地圖集上那條河的慾望。因為這裡的局勢比我想像中還要駭人。媽媽的園子種滿百合、我有祕密就往紙杯傾訴的日子已不復見。

第十五章

西西莉彈完歌曲，幻影縮回琴鍵，她伸展雙臂、高舉過頭，並把指關節扳得劈啪作響。

「親愛的，好好聽哦。」林登說。他坐在沙發上一手環抱著我。珍娜蜷坐在扶手上，林登心不在焉地用另一隻手在她大腿上隨便畫。

「我們家出了個音樂會的小小鋼琴家。」珍娜表示贊同，手指同時圈著林登的一綹髮髮繞。

「也許不是音樂會鋼琴家。」西西莉邊說邊把鋼琴布蓋在琴鍵上。

「對。」我同意。「音樂廳太枯燥乏味了。之前妳是不是說這首歌是妳在玫瑰園裡寫的？」

「應該是籬笆迷宮。」珍娜說。

「妳們兩個都錯啦。」西西莉一邊說，一邊爬上林登的大腿。「我是在香橙園寫的。」

「這首歌是妳自己寫的？」林登吃驚地問她。珍娜還在玩他的頭髮，林登也漫不經心地把頭歪向她。

「是啊。我在腦袋裡譜的曲，記在心裡之後彈。只不過……」她話愈說愈小聲，別過目光，哀怨地嘆了口氣。

「怎麼啦，親愛的？」林登問她。

「是這樣的，這首歌有點舊了。我已經好久沒踏出家門啦。」西西莉說。

「西西莉，我們都一樣，不只是妳。外面的颶風多危險啊。妳也知道先前我傷得多重，我才剛康復而已。」我說。

「可是已經好幾個禮拜沒颱颶風啦。天氣一直挺好的，你不覺得嗎？」珍娜望著林登，他的雙頰已漲得通紅。三名妻子齊放電，教他招架不住。

「我……我也這麼覺得。」

「沃恩戶長只是想要確保我們平安，所以外出一定有他相伴。」我說。

「妳們上哪兒去都有他陪？」林登問道。

「悶死人了。公公我們當然敬愛有加，這你也知道。可是女孩偶爾也需要一點時間獨處嘛。」珍娜坦言。

「這樣才能疏通創意。」西西莉說。

「好好思考。」我補充道。

「跟姊妹淘談心。我跟萊茵既不能打網球，也不能在彈簧墊上跳來跳去。虛擬遊戲固然好玩，但我們連活動筋骨的機會都沒了，不騙你。」珍娜說。

「本來我不好意思說的，可是她們兩個都變胖了。」西西莉說。

珍娜瞇起雙眼。「妳還有臉說別人。」

林登雙頰早就微微泛紅，但當西西莉捧起他的臉親吻、問他是不是覺得她懷孕之後變醜了，這已超過他所能承受的極限。他說：「妳……妳是個美人。妳們全都美呆了。如果妳們覺得偶爾待在戶外能夠提振精神，我會找爸爸商量一下。我不曉得原來妳們那麼……呃……悶。」

「真的假的？」西西莉驚呼。

「你是說真的嗎？」我邊說邊窩到他身旁。

「你人真好。」珍娜說著說著便親吻他的頭頂。

他呈備戰模式，把西西莉輕輕從身上挪開，鑽出我跟珍娜的夾心攻勢。「他今晚從醫院回來我就找他談。」

我跟姊妹妻聚精會神地聆聽，直到聽見他搭的電梯關上門。起初我們一陣沉默，後來放聲大笑、在沙發上跌坐成一團。

「實在太神了。」珍娜說。

「比計畫的效果還好。」我說。

「我表現得如何？」西西莉問道。

「別搞音樂了，妳應該改當演員。」珍娜邊說邊揉亂西西莉的頭髮。

我們相互擁抱，慶祝這個小小的勝利。這種同袍情誼教我情不自禁地樂在其中，親密至極的戰友關係就像是置身一段婚姻生活。

我們講好要參加展覽的那晚，西西莉開始子宮攣縮。

「那只是假宮縮，不是真的要生。」沃恩戶長向她保證。問題是她真的痛得要命。她跪在床邊，緊抓著床墊，我看見她驚恐的雙眼，知道她不是為了泄恨而演戲裝痛。

「我們還是待在家好了。」我對林登說。我身子已經康復了一個多禮拜，現在身上穿著的這件美麗紅色禮服也是狄德麗在我復原的期間親手設計縫製的。在歷經一小時被一群過度熱心的侍從包圍，梳妝打扮、塗脂抹粉後，我決心今晚一定要表現亮眼，不讓眾人的苦心白費。林登和我並肩站在西西莉的臥室門口，他擔心地把嘴緊抿成一條線。

沃恩戶長和愛兒攙扶西西莉上床。「來吧，寶寶還要兩個月才會出生呢。」沃恩說。

我信不過他。我幻想西西莉得知寶寶胎死腹中時，在地下室的輪床上翻來覆去、痛苦尖叫，而沃恩為求解藥，將解剖胎兒。他是個心狠手辣的禽獸；他切開嬰兒時，眼底沒有一絲人性。

西西莉抽抽噎噎地哭了起來，愛兒拿了塊濕布輕拭她的臉龐。西西莉張口，我猜是想叫我們「留下來」，但沃恩抓住她的手，說：「親愛的，如果妳丈夫今晚能找到買家，就表示他的其中一張設計圖會變成一棟新屋或一間商店。到時候妳不想進去參觀嗎？生意談成不是一件好事嗎？」

她變得遲疑不決。她和沃恩之間有某種我摸不透的關係，好像她是他最愛的兒媳婦，又或者她把他當作自己從沒有過的父親；只要是他說的，她就唯命是從。

「你們該去參展才是，我在這裡不會有事。畢竟這是我的工作。我很高興自己有所貢獻。」她說。說也奇怪，她講這番話的時候絲毫不顯惡毒。

「這才是個好女孩。」沃恩說。

我不願把她交給他。說什麼都不願。但我何時還有機會向林登證明我是大老婆的這塊料，是勾著他手臂出席派對的不二人選？

林登和西西莉道別、保證他馬上就回來的同時，我在書房找到珍娜，請她密切留意家裡的情況。「她跟沃恩戶長之間怪怪的，我信不過。」我說。

「我也是。他們在一起好像有滿腹不為人知的祕密。不曉得他給她灌了什麼迷湯，讓我渾身不自在。」她說。

「我不想要他們獨處。」

「不行，絕對不行。」珍娜早我一步想好對策，在起居室找到棋盤，準備叫西西莉教她下棋。

「盡量好好玩就是了，好嗎？幫我跟自由打聲招呼。」珍娜對我說。

「好，如果我碰巧遇見它的話。」

首先林登帶我走向一開始把我載來的那輛禮車。他為我開車門，甚至不懂我的猶豫。

「可不可以開車窗？」我問道。

「外面在下雪欸。」他說。

我一直以為佛羅里達氣候溫和，結果證明天氣只是偶爾宜人。

「冷空氣有益肺部。」這句話我是從沃恩那裡聽來的，所以有可能是騙人的，不過林登只是聳聳肩。「妳喜歡就好。」他說。

我爬進禮車後座，儘管有置於冰桶的香檳和暖氣皮座椅迎接我們，我還是不斷期待壞事發生。我馬上打開我那頭的車窗，吸一口嚴寒的空氣，林登把他的外套披在我肩上，我也不引以為意。我們還沒啟程，我仍懷疑這趟旅程的安全性。我很清楚沃恩的為人，他搞不好計畫要把我敲昏，教我認不得去大門的路。

車頂有天窗，只可惜上了暗色，讓我沒辦法看見窗外的夜空。「這個天窗打得開嗎？」我問道。

林登笑著摩擦我的雙臂取暖。「妳是不是想把自己變成冰柱呀？天窗當然開得了囉。」天窗開啟後，我站起來；但車子開了，害我重心不穩。林登抓緊我的腰，免得我跌倒；我一點也不介意，因為天窗開了。我將雙臂搭在車頂上，白雪飄落在我的頭髮上，而且好像一碰到禮車的光便迫不及待地融化。我目送樹木、修復完成的迷你哥爾夫球場、香橙園，和珍娜的彈簧墊離我遠去，目送在過去這幾個月曾經是我全世界的東西漸行漸遠。它們似乎在向我道別。再見，好好享受今夜。我微笑著注視前方迎面而來的風景。

好一陣子，除了樹以外還是樹。我從沒離府邸這麼遠過，壓根不曉得這裡還有條路。車子彷彿開了一輩子。我開始透過斑駁樹影觀星，一輪缺了四分之一的明月匆忙跟上車速。

然後我們抵達大門，兩扇門敞開讓我們通行，門頂的尖頭花也隨著綻裂。就這樣。我們離開了這塊土地。在行經許多樹木後，城市突然躍於眼前。五光十色，人們有說有笑的朦朧身影。這裡比我的家鄉還要繁華，從外觀上看來，金錢營造出來日方長的假象。也許他們正滿心期盼救命解藥，又或者只是開心回到一個舒適的家。在這裡看不出一絲絕望，也毫無孤兒行乞的身影。我只看見一家用巨型發光招牌展現電影名稱的電影院前，有個身穿粉紅洋裝的女人笑得連腰都直不起來。我能聞到遠處飄來速食味、新鋪的水泥和滲灌管的臭味。

這是一種衝擊。就像登陸火星，卻也像重返家園。

車子開過一個港灣，但它和曼哈頓的海港不太一樣。沙灘融入水中，帆船在許多碼頭繫泊過夜，順著海水的節奏搖曳。

林登引導我回車內坐著，說不然怕我得肺炎。我一度毫不在乎，但後來想想要是感染肺炎，他就再也不會讓我離開府邸了。想起之前我摔斷骨頭的康復期間他有多擔心，現在我還有機會外出透口氣已是三生有幸。沃恩得說我壯如牛（一聽到這個比喻我就想到他的亡子）

才說動林登，他也才考慮今晚帶我出門。

我坐回暖氣座椅，讓林登關窗；我透過暗色的車窗玻璃欣賞這座城市。這也挺不賴的。林登為我倒一杯香檳，與我擊杯敬酒。我喝過一次酒，但那是多年前的事了，那時我跟羅恩試著補屋頂上的破洞，怎知我竟摔了下來，結果肩膀脫臼。羅恩從地下室拿一瓶生鏽的威士忌給我，這樣他幫我肩膀移位時，我才能飲酒止痛。

這回的酒輕淡起泡，不若以往。溫熱了我曾被威士忌灼燒的胃。

我任林登將我摟在懷裡，這是大老婆該做的事。他身子一度僵硬，後來似乎稍微放鬆一點。他拾起我的一綹鬈髮——噴了過量髮膠、吹烘整燙以整夜定型的頭髮——以手指捲繞。不知蘿絲被他帶出場時是怎樣的髮型。

我們喝完香檳，他從我手中取走空玻璃杯，說到了展場有的是酒，屆時動不動就要舉杯祝酒，侍從會拿裝著玻璃酒杯的托盤提供酒。「如果酒喝太多了，蘿絲會假裝啜飲幾口。她大概找了侍從提供空杯，好營造把酒飲盡的假象。」他別過目光，望著窗外的車水馬龍，好像後悔往事重提。

我把手搭在他的膝上，輕聲說：「真是妙招。她還做了什麼？」

他噘起嘴唇，放膽瞄我一眼。「她與賓客談笑自若，別人說話時她會正視對方的雙眸，也總是面帶笑容。等到長夜將至、只剩我和她，她才說臉頰笑得好疼。」

面帶笑容。故作興致盎然。假裝飲酒。還有，像星星一樣閃耀，我把這一項也加入必做清單，因為它同樣像是蘿絲會做的事。我們離目的地愈近，我就愈覺得融入她的世界。我覺得自己像是她的替代品，這也是我們見面那天她對我說的，只是當時我不願接受罷了。但如今皮座椅散發的暖氣和林登鬍後水的氣味，讓人覺得當替代品似乎也沒那麼糟。不過這當然是權宜之計。

我花了點時間說服自己車外生氣蓬勃的城市不是我的城市，那些紅男綠女都是陌生的過客。我哥不在這裡。他獨自一人在某處等我。我走了之後，再也沒人在他睡覺時守夜了。想到這裡，我胃裡的香檳就掀攪一波苦澀的焦慮；我強迫自己保持鎮定、免得作嘔。我回他身邊的不二法門就是了結這件事，不管要花多少時間。

車子開到一棟白色高樓前，它的大門上繫了個巨大的天鵝絨蝴蝶結。踏出禮車時，我在街燈和店面也看見同樣的天鵝絨蝴蝶結。有個男人打扮成聖誕老人手拿搖鈴，人們把錢扔進他腳邊的一個紅色桶子。

「他們今年提早過冬至了。」林登漫不經心地說。

打從我十二歲起就沒再慶祝冬至了。羅恩覺得花錢買禮物和浪費時間布置都太不切實際。猶記小時候爸媽會用紅色蝴蝶結跟硬紙板做的雪人布置家中，整個十二月廚房裡都彌漫著美好氣息和烘焙香味。我爸會從一本名為《聖誕經典頌》的陳年古書，彈奏其中散頁樂譜的曲目，只不過早在他那一輩出生前就沒人稱之為聖誕節了。我們的爸媽會在冬至，也就是一年當中日照最短的那天發放禮物。東西大多是他們親手做的——我媽是巧奪天工的女裁縫師；我爸則有只要是木頭做的，他都能變出花樣的通天本領。

少了爸媽，我與羅恩的小小傳統就不再出見。冬天對我跟我哥來說，只是曼哈頓窮人行乞最猖狂的季節。每逢此時，我們會在窗上釘木板，勸退那些在凜冽寒風中設法尋找中繼站的孤兒。家鄉的冷是風刀霜劍。下的雪足以積到門把，有時早上天一破曉我們就得起床剷雪，挖出通道好出門上班。我們會把吊床拖到火爐附近，但儘管如此，還是能看見面前呼出的氣息。

「如果總有人想吻妳的手，可別生氣喲。」林登在我耳畔低語，並挽著我的手臂一同拾階而上。

自從林登說過這些展覽枯燥乏味，我就沒抱什麼期待。但一進展場，只見一大群穿著光鮮亮麗的群眾。屋裡四面八方懸著投影片，房屋的影像旋轉環繞。窗子一開，你就宛若被領進屋內，加入每個房間的環視巡禮。建築師站在他們的投影片旁，只要有人駐足，就熱切地向聽眾解說房屋。就連展場的牆壁和天花板都是藍天白雲連綿不絕的幻象。地板像是長滿野花、隨風搖曳的草地，我情不自禁地彎腰碰觸地面，確定青草不是真的。雖然看上去像是我用雙手掘土，事實上我摸到的卻是冰冷磁磚。我回到林登身邊時，他輕聲竊笑。「他們總是試圖營造建屋所在地的氣氛。這比我上回參加的展覽好——之前看起來像是沙漠，呈現的氛圍讓大家看了口渴。有一年他們將展場布置成空蕩蕩的人行道，雖然用意在於鼓勵商機，卻給人末日餘生的淒涼感。」

甜點桌設計成都市的風貌。有個已被人切的生態圓頂蛋糕、搖晃的凝膠泳池以及巧克力碎片水泥，還有座巧克力噴泉。裝飾的糖霜花朵被人挖得只剩殘枝斷葉，好似遭人狠咬一口後的綠野仙蹤奧茲王國。

還沒走幾步路，就有人抓我的手親吻，我嚇得頸背寒毛直豎，卻仍眉開眼笑地應對。「這位可愛的小姑娘是誰呀？」儘管對方身上的西裝要價比整個曼哈頓一個月的電費還貴，但就算稱他為男士似乎也嫌不妥，因為他的年紀大概比我還小。

林登得意地介紹我為他的賢內助，我也始終保持笑容，不過送上面前的酒我倒是來者不拒，因為我發現一杯再一杯地豪飲能讓親吻招呼等交際應酬變得沒那麼難熬。展場也有其他妻子，但她們亦步亦趨地跟著丈夫，好像每一位都幸福洋溢。她們稱讚我戴的手鐲，問我花多久時間做頭髮，抱怨自家的侍從和貼身佣人對拉鏈、珍珠什麼玩意兒有多一竅不通。過沒多久，這些話語全糊成一團白噪音，我只管點頭、微笑、飲酒地逢場作戲。其中一位人妻懷有身孕，她毫不怯場地對一位侍從上演咆哮好戲，只因對方遞酒給她。他們叫我甜心或寶貝，問我什麼時候要生寶寶。我回答：「我們正在努力。」

展場的人妻沒有一位提到門口的保全警衛，假如妻子沒跟著丈夫、擅自離場，說不定他們會一個擒抱，把我們壓倒在地。

然而我確實很欣賞旋轉的房屋投影片；當林登架好他自己的投影片，那染上色彩、賦予生命的設計圖令我心神嚮往。畫面我前所未見，好像是許多設計的合體。這是一幢維多利亞風格的房子，常春藤的卷鬚爬上牆壁、往回縮、又繼續蔓延。我看見屋內有在人動，但等影像進入窗戶，住戶便往後退，眼前只剩硬木地板和如浪花翻騰的窗簾，我甚至覺得聞到蘿絲的乾燥花。其中一間臥房擺滿插著百合的花瓶。有間書房擺了地圖集，其餘啥也沒有；房間中央則有一盤還沒下完的棋。

環視巡禮令我頭暈目眩。我緊抓林登的胳臂，他扶穩我的腳步，在我的太陽穴輕吻一下。在被那些陌生人擺布和親吻之後，我發現自己好慶幸現在碰我的只有他。

「妳意下如何？」他問我。

「假如有人說不想住在這裡，肯定是發瘋了。」我說。我倆相視而笑，同時暢飲美酒。等到夜幕低垂，我已滿口酒精和糕點糖霜味，但它們莫名使世界聞起來更加美好。縱使汗水積在頸背，我的鬈髮卻依然屹立不搖。我精神恍惚，但始終面帶微笑，當陌生男子不斷讚美我的雙眸，我會笑著把手搭在他們的雙肩，說：「哦，夠了。」有半數的人問我眼珠是不是真的，我回答：「當然，不是真的是什麼？」

有個男人問我：「這麼與眾不同的眼睛是怎麼來的？」

我說：「從我爸媽那兒來的。」

而林登一臉驚愕，彷彿從沒想過我也是人生父母養的，更別提我可能認識我的雙親。

「總之妳真是個美人胚子。」男人還是緊咬這話題不放，醉到無視於林登臉上的擔憂。「最好把她看緊一點。雖然不知她是打哪兒來的，但這姑娘肯定是天下無雙。」

林登壓抑且震驚地說：「對，天下無雙……」

此外，我覺得他的訝異是出自真心。「寶貝，走吧。」我說。我搜尋著表達愛意、但沒被沃恩或西西莉使用的詞彙，對他這麼說，並拽了一下他的手臂，「我想看看那邊的房子。」我對酩酊大醉、恍神傻笑的這位仁兄微微一笑，「恕我們失陪了。」

我倆繼續逗留，對建築師阿諛諂媚。我暫時離開林登身邊，讓他和其中一位談生意。幾分鐘後他來找我，我正在輕咬一顆草莓，試圖從這團騷動中回神。

「準備走了嗎？」他問我。我勾起他的胳臂，設法悄悄溜走。

一到戶外，我便發現雪已消退，也察覺到大樓裡陽光普照的午後其實是個幻覺。強勁的寒風撲面而來。我們向禮車移動的同時心想：*我可以逃跑呀*。保全警衛在室內，不在室外。要對付的只有林登，他又這麼文弱，只要把他推開我就暢行無阻了。就這麼辦。逃跑。這樣就再也不用看見鐵門裡的一切了。

可是當林登打開車門，我就爬進溫暖明亮的禮車。它將帶我回家。我思忖著：*回家*，聽起來怪怪的又沒那麼怪。我疲憊地頹然倒坐，開始解開折磨人的黑色高跟鞋。這比我記憶中的還費事。禮車啟程，我一個重心不穩往前傾，林登見狀扶住我，不知怎地我竟笑了起來。

他幫我脫鞋，我心懷感激地嘆了口氣。「我表現如何？」我問他。

「妳美呆了。」他說。他鼻子和雙頰都紅通通的。他用指背拂掠我的臉頰。

我笑逐顏開。這是我踏進展場後第一次不用強顏歡笑。

我們返回府邸時夜色已深。廚房和每條走廊都空無一人。林登去探視西西莉，因為她房裡的燈還亮著。她在等他回家。不知她會不會發現他有點醉，這我大概責無旁貸，因為他是有樣學樣。不知蘿絲是否會取走他手中的酒杯，在他喝太多時好言相勸。不知她是怎麼在飲酒不過量的情況下忍受這一切。

我返回臥室，輕解身上汗濕的紅色禮服。我換上睡袍、將捲度依舊持久的頭髮隨便綁了個馬尾、開窗深吸幾口冷空氣。我沒關窗就爬上床、漸漸昏睡，眼瞼上充滿旋轉的房屋、孕婦的肚腩、和用托盤盛著向我飄來的酒杯。

夜裡某個時刻空氣變暖了。我聽見關窗聲和在厚實地毯上悄然的腳步聲，後來林登對我說：「寶貝睡了嗎？」

他記得我在展場是怎麼叫他的。寶貝。聽起來不賴。柔柔的。要這麼叫也行。

「嗯……哼。」我答道。黑暗伴隨粼光閃爍的魚和延展的藤蔓游移，連臥房也跟著微轉。

他好像問能否睡我的床，我好像含糊地說可以。我感覺到他在我身旁微微的重量，彷彿我是顆環繞的行星，他則是暖和的太陽。我聞到他身上的酒味和晚宴氣息。他向我靠近，我把頭轉向他。

一切寂靜陰暗而溫暖。藤蔓的卷鬚像是領我進入一場豐富的夢，然後林登說：「請妳別走。」

「嗯？」我哼了一聲。

他對著我的脖子呼氣，輕輕種下幾個吻。「請不要離開我。」

我稍微從夢境中抽離。他用手指抬起我的下頷，我睜開雙眼，看見他眼中一層陌生的迷濛，又感覺一顆小水滴滴上我的脖子。他剛說了什麼，什麼重要的話，但我累到想不起來。我什麼都記不得，但他卻在等我回覆，於是我說：「怎麼了？怎麼回事？」

他給我一吻。那不是強吻，而是輕輕地用下唇溫柔撥動我的下唇。我嘴裡淨是他的滋味，那感覺一度沒那麼糟。彷彿跟今晚其他一切事物相彷，沒那麼糟。全都暈陶陶地令人神魂顛倒。我喉嚨發出一聲微弱的嗓音，好像嬰兒對著奶瓶咯咯叫。他抽離身子，望著我。我猛眨眼。

「林登……」

「對，對，我在這兒。」他說著說著又想吻我，但這次我往回縮。

我雙手抵在他肩上把他推開，卻看見他眼底莫名的痛苦，我猜他一度把我當成蘿絲，只是後來赫然發現我又變回萊茵。

「我不是她，林登，她走了，她不在了。」我說。

「我知道。」他說。他不再求歡，於是我鬆開他的肩膀，讓他往我身邊躺。「只是，有時候，妳……」

「但我不是她，而且我倆都有點醉了。」我說。

「我知道妳不是她，問題是我不知道妳是誰，不知道妳是打哪兒來的。」他說。

「那一整車的女孩不是你叫的嗎？」我問道。

「是我爸叫的。可是在那之前，妳怎麼會想當別人的新娘？」他說。

我的氣差點喘不上來。我怎麼會想當別人的新娘？接著我想到今晚那位仁兄問我虹膜異色怎麼來的，林登的眼神有多驚訝。

他真的毫不知情。

我知道罪魁禍首是誰了。是沃恩。他是怎麼矇騙兒子的？外頭設了新娘專科學校，女孩從小心無旁騖，只為了學會如何討男人歡心？還是他把我們從貧困的孤兒院拯救出來？對西西莉來說或許是這麼回事，但等這個寶寶出生，接下來情勢會如何發展，就連她也猝不及防。

我現在就能吐露實情，告訴他珍娜的姊妹在那輛廂型車遭到處決，告訴他我打死都不願當別人的新娘。但他會相信我嗎？

就算信我好了，又會放我走嗎？

我問他：「你覺得那些沒被你選上的女孩會有什麼下場？其他的女孩。」

「她們大概各自回孤兒院或回家吧。」他說。

我盯著天花板，大為震驚且微微作嘔。林登將手搭在我肩上，「怎麼了？不舒服嗎？」

我搖搖頭。

沃恩的本領比我想像中還要高強。他把兒子深鎖大宅、遠離塵世，並為他假造了一個現實。一方面拿骨灰給林登撒，另一方面在地下室暗藏屍體。我想逃跑是理所當然。任何人只要嘗過自由的滋味，都能理解渴望重獲自由的念頭。但林登從沒得到過自由。既然不曉得自由為何物，又怎會對它心生嚮往？

而蓋布利歐當了太多年的俘虜，就連他都開始遺忘外面的世界跟這裡相比有多美好。

外面比較好，對吧？我一動也不動地躺了一會兒，拿紐約的海港跟水池那片汪洋大海相比。拿城市公園和無邊無際的高爾夫球場及網球場相比。拿曼哈頓老家的燈塔和矗立於第九洞的燈塔相比。拿至親手足羅恩和成為我姊妹妻的珍娜與西西莉相比。在這朦朧且微醺的狀態下，我幾乎可以參透蓋布利歐說「自由世界有啥是妳在這裡得不到的？」的言下之意。

幾乎可以。

我對林登淺淺一笑、雙唇緊抿，直到離開他的懷抱。「寶貝，我一直在反省。我不是個稱職的妻子，對不對？我會試著改進。」我說。

「颶風來襲那晚，妳不是想逃離我身邊吧？」

「別傻了，當然不是。」我說。

他歡喜地嘆了口氣，手摟著我的腰漸漸入睡。

蓋布利歐，自由啊，就是你在這裡得不到的東西。

第十六章

隔天我都沒見到蓋布利歐。我醒來雖然已過正午，早餐老早送來臥房，卻不見六月豆的蹤影，沒有他來過的跡象。我按鈴呼叫侍從，徵詢使用電梯的許可，但等電梯門一開，站在裡面當我護花使者的卻不是蓋布利歐。

是沃恩。

「親愛的，午安。妳有點蓬頭垢面，不過一如往常般可愛。昨天玩到很晚吧？」他微笑道。

我擠出迷人的笑容，蘿絲說得沒錯，強顏歡笑的確使我雙頰疼痛。林登可是費盡唇舌才說服他爸給我們多點自由。儘管他表面上營造林登當家作主的假象，但私底下掌生殺大權的仍是他。「棒極了，真不懂林登為什麼說展覽枯燥乏味。」我說。

我進電梯站在他身旁；門一關，我努力保持呼吸順暢。他身上有地下室的氣味，不曉得今早他解剖了誰。

「那今天妳想去哪兒？」他問我。

我身上穿了外套，因為縱使地上不留雪跡，我仍記得昨夜的寒意。現在我可沒得肺炎的本錢。「天氣好，感覺滿適合出去散步的。」我說。

「迷你高爾夫球場修好了，妳見過了嗎？」沃恩邊說邊按下樓的按鈕。「妳真該瞧瞧。工作人員讓球場起死回生。」

「起死回生」這四個字從他嘴裡說出來顯得很不吉利。但我還是回以笑容。我風姿綽約、無所畏懼，是林登．艾許比的大老婆，是他夜裡造訪香閨、摟在懷裡參加派對的大老婆。而且我對公公敬愛有加。

「還沒見過。那場意外搞得我天昏地暗，直到現在腦袋才清楚些。只怕我消息不夠靈通。」我說。

「這樣啊。」沃恩勾起我的胳臂，這個動作比起林登有侵略性得多。「那跟我打場比賽如何？」

「我球技不太好。」我說。這時的我害羞靦腆。

「像妳這麼聰明伶俐的女孩？妳說的話我一點都不信。」

這是我第一次覺得他說實話。

我們打全場的比賽，沃恩還負責計分。我一桿進洞時，他大誇我揮桿漂亮；我百揮不進時，他也耐著性子從旁幫忙。我討厭他將紙片般的手覆在我手上引導球桿。也討厭他呼在我脖子上的溫熱氣息。

我還討厭和他來到那個依舊投射自由光芒的燈塔——球場的最後一洞，與他並肩而站。沃恩口若懸河地介紹全新的美麗人工草皮，我卻只顧著尋找通往鐵門的那條路。我確定禮車開過的路，就在這裡附近的某片樹林。

我一揮完桿，沃恩就問我：「跟我說說昨晚妳進城覺得如何。」

「那些設計著實令我嘆為觀止。他們真的很有才華……」

「親愛的，我問的不是設計，是市區。妳對城裡的第一眼印象如何？」他站得離我太近。

「我沒看得很仔細。」我生硬地說。他到底想說什麼？

「以後會有機會的。」他綻露老人家的笑容，用手指輕彈我的鼻子。「之後會辦什麼派對，林登早就掛在嘴邊了。親愛的，幹得好。」

我對著雙手吹熱氣，望著他完美擊球、一桿進洞。「我到底做了什麼？」

「把我的兒子從陰間帶回人世。」他環抱著我，朝我的太陽穴一吻，那正好是昨晚林登吻我的位置。只是相較於林登溫暖的雙唇和帶來慰藉的舉動，被沃恩一吻，我竟覺得脊椎爬滿百萬隻小蟲。雖然這對父子外表出奇相像，我卻想不到還有誰個性比他倆更南轅北轍的了。

但我是個好妻子、好媳婦，於是我羞紅了臉。「我只是希望他能開心罷了。」

「應該的，讓那個小子開心，他就會為妳雙手奉上全世界。」沃恩說。

「雙手奉上」是關鍵詞。

沃恩贏得比賽，但我的分數跟他相去不遠。我沒放水，他贏球全憑自己的實力。「妳太把自己貶得一文不值了，其實妳的球技哪有那麼糟？」他笑著與我走回府邸。「還沒強到能打敗我，但已經夠好了。」

我環顧四周尋找禮車開的那條路，但就是遍尋不著。顯然沒有沃恩陪同，我就不能踏出戶外半步。至少今天不行。於是我找到了珍娜，她縮在我最愛的厚實軟墊椅上，埋頭閱讀封面畫有一對年輕半裸愛侶的平裝書；畫中的男子正在救溺水的女孩。「我沒看到蓋布利歐。」我還沒開口，她就對我說了。

「妳不覺得很奇怪嗎？」我邊問邊往她身旁的椅子一坐。

她噘起嘴唇，從書本上方探出頭來看我，同情地點了點頭。她講話一向不來婉轉這一套。

我說：「午餐送來了嗎？」

「沒……」

「也許等等就見到他啦。」唯一會送餐到妻妾樓的就只有蓋布利歐，除非西西莉發飆，要不然只有一位侍從為她服務。

我們還是沒見到他。一位我們從未見過的第一代侍從把午餐送來，而他甚至不曉得要來書房找我們，反而跑去問西西莉我們人在哪兒，怎知她小睡片刻醒來後心情正差，於是我們聽見走廊傳來她對那位可憐的仁兄大聲嚷嚷。

「妳靜一靜好不好？」我和珍娜在她門口找到西西莉時，對她這麼說。侍從看樣子很怕這位孕婦小火球。但我定睛一看，只見她的眼袋、和撐在枕頭上腫到發紫的腳踝。「這麼激動會傷到寶寶的。」

「不要對我說教。」她咆哮道，抓狂似地指向侍從。「要怪就該怪他這麼無能！」

「西西莉……」我才剛開口。

「不，她說得對，看起來噁心死了。這是什麼？豬打滾的爛泥嗎？」珍娜說。她掀開其中一道菜的蓋子，扮了張鬼臉。

我震驚地望著她，而她直視我的雙眸。「我覺得妳應該下樓去廚房抱怨。」

哦。

「對不起，珍娜小姐。」侍從開口賠不是。

「不用道歉，這不是你的錯。主廚應該好好監督底下的人做事，況且她明明知道我們全都討厭馬鈴薯泥。」我掀起另一餐蓋，皺起鼻頭。「還有豬肉。光是聞到這個味，珍娜就會起蕁麻疹。我最好下樓把話講清楚。」

「好，這是當然了。」侍從說。我跟在他背後，他將放著午餐托盤的餐車推回電梯時好像還微微發抖。

「別放在心上，她們真的不是針對你。」等兩人進了電梯、電梯門關上，我便安撫他，並綻露一個鼓舞的微笑。

他回以笑容，除了盯著自己的鞋，還不忘緊張兮兮地偷瞄我幾眼。「大家說妻子裡就屬妳心地善良。」

廚房一如往常地充滿活力，這意味著沃恩不在附近。「打擾一下，萊茵小姐有事要抱怨。」侍從說。

他們全都轉頭注視站在門口的我，主廚毫不遲疑地哼了一聲鼻息，並說：「她哦，才不會抱怨咧。」

我謝謝侍從帶我下樓，接著有人取走餐盤，可惜的是，好好的食物就給這麼白白糟蹋了，不過我此行是另有要事。我穿過食物熱氣和鼎沸人聲，然後倚著櫃台，因為主廚正站在她的大鍋前煮東西。我知道在這片喧鬧中，只有她會聽見我的問題：「蓋布利歐怎麼了？」

「妳不該下樓詢問有關他的事，這樣只會給那小子添更多麻煩。打從妳上次拙劣的逃亡行動後，戶長就對他嚴加關照。」她說。

一陣凜冽的寒意揹上我的背脊。「他沒事吧？」

「還沒見到他咧，今天早上戶長把他叫到地下室後就沒見過了。」她表情極為擔憂地望著我說。

第十七章

後來整個下午我都鬱鬱寡歡。珍娜為我撩起頭髮，讓我對著馬桶嘔吐，問題是我啥也吐不出來。「也許妳酒喝多了。」她溫柔地說。

但實情不是這樣。我知道不是這麼一回事。我離開馬桶前，往地上一坐，雙手絕望地垂在大腿上。淚水在我的雙眼鬱積，只是我沒讓它奪眶而出。我不會讓沃恩稱心如意的。「我有事要跟妳說。」我說。我把悶在心裡的話一五一十地向珍娜傾訴。蘿絲在地下室的屍體、我和蓋布利歐接吻、林登對我們的身世一無所知，以及沃恩對我們生命的全盤操控。就連蘿絲和林登胎死腹中的寶寶我都對她說了。

珍娜跪在我身旁，拿濕布輕拭我的額頭和頸背。再怎麼說，感覺還是很不賴；我把頭倚在她肩上，閉上眼。「這個地方是人間煉獄，就在我覺得或許一切沒那麼糟的時候，情況就開始惡化。每況愈下，偏偏我又醒不來。沃恩戶長是個禽獸。」我說。

「依我看，戶長應該不會殺害他的孫子，假如妳所言屬實，他利用蘿絲的屍體找解藥，那又怎會不希望孫子活下來？」珍娜說。

我謹守諾言，沒把狄德麗跟我說的祕密告訴她──所謂的死胎根本不是死胎。可是這個念頭一直陰魂不散地糾纏我。我想要相信珍娜是對的。沃恩何來理由置他的孫子於死？沒錯，妻子只為他生下男丁，所以搞不好他這個人重男輕女──但孫女對他的用處至少可以生兒育女。富家小姐有時甚至可以挑選新郎倌，地位也比她的姊妹妻優越。而沃恩最厲害的就是物盡其用，無論是人是物、是生或死，他半點都不會浪費。

但不知怎地，我就是知道狄德麗跟蘿絲說聽見寶寶哭聲是千真萬確。依我看，事發當時林登出遠門也並非純屬巧合。這個想法興起另一波的作嘔感。珍娜問我還好嗎、說我臉色白得可怕時，聲音卻似乎離我好遠。

「如果西西莉或她的寶寶有什麼三長兩短，我會崩潰。」我說。

珍娜揉我的胳臂安慰我。「不會有事的。」她說。後來我倆沉默片刻，我揣想蓋布利歐進了地下室後，所有可能發生在他身上的壞事，揣想著他布滿瘀傷、慘遭痛扁、被施打麻藥。我不允許自己揣想他已經死了。我想起和他親吻時，聽見走廊上的聲響，以及我們竟然膽大包天，連門都沒關，還有那份他從書房偷來的地圖集如今仍躺在我的梳妝台上。我知道這都是我不好，是我殃及無辜。我來之前，他是個早已遺忘外界，不知人間現實的幸福男僕。苟且偷生固然糟糕，但總比沒命可活要好，也比沃恩不見天日的恐懼地下室要好。

我想起復健期間林登讀給我聽的一本書，《科學怪人》。那是狂人拿屍塊拼湊造人的故事。我憶起蘿絲冰冷的手和粉紅色的指甲油、蓋布利歐的碧眼，和死胎小石子般的心臟；還沒意識到自己已經移位，我就開始吐了；珍娜把我的頭髮往後撩，世界天旋地轉大失控。但不是真實世界，而是沃恩的世界。

西西莉面色蒼白、睡眼惺忪地出現在門口。「怎麼了？妳生病了嗎？」她問道。

「她不會有事的，只是喝太多了。」珍娜邊說邊把我的頭髮往後順。

才不是這麼回事，但我啥也沒說，只是默默沖了馬桶。西西莉拿漱口杯倒水給我。我接過水杯。她坐在浴缸邊上，呻吟著屈膝。「感覺晚宴滿好玩的。」她說。

「其實談不上是晚宴，只有一堆建築師展示他們的設計圖。」我說完喝水嗽口再吐掉。

「快一字不漏地跟我說。」西西莉雙眼溢滿興奮光芒地說。

「真的沒什麼好說的。」我說。令人眼花撩亂的全像投影、汁多味美的精選甜點，還有人山人海、我考慮逃跑的市區，這些我都不想向她提起。還是別讓她知道錯過什麼比較好。

「妳們都不跟我講話了。不公平。我整天都困在床上。」她說。看樣子她又要發飆了，似乎每隔一個孕期她就變得更加情緒化。

「那真的無聊透了。」我堅持地說。「都是第一代的長者在展示草圖，我還得假裝興致盎然。我們得坐很難坐的折疊椅一個多小時，只為了聽一個建築師滔滔不絕地講購物商場有多重要。我喝醉只是為了找事做。」

西西莉一度看似狐疑，不過後來肯定相信我說的是實話，因為不悅的神情似乎已從她臉上褪逝。「那好吧，但至少跟我說個故事嘛。要不要說說妳以前認識的那對雙胞胎？」

珍娜揚起一邊眉毛。我從沒和她提過我的雙胞胎哥哥，她的直覺比西西莉敏銳，現在八成猜到個所以然了。

我講的故事中，有天雙胞胎兄妹放學走路回家，途中聽見一聲撼搖腳下大地的爆炸巨響。肇事者是第一代，他們不滿科學家做實驗企圖延長新生兒的壽命，為表抗議所以炸毀一棟遺傳學研究中心。大街小巷充斥著「夠了！」和「人類終將滅亡！」的叫喊聲。幾十位科學家、工程師、和技師在這場人禍中喪生。

這對雙胞胎也在那天成了孤兒。

晚餐送來床頭桌的聲響將我從睡夢中吵醒。西西莉蜷在我身邊，使出她第三孕期染上的習慣：用鼻音打鼾。我內心充滿希望，目光馬上掃向帶托盤來的人，但他仍是今早那個緊張兮兮的新侍從。我寫在臉上的失望一定很顯眼，因為他臨走前勉強擠了個笑容。

「謝謝。」我說。但就連這兩個字聽起來都很傷心。

「瞧瞧餐巾裡有啥。」他說完就走了。

我慢慢坐起，免得驚動西西莉。她對著枕頭上一小灘口水咕噥，又嘆了一聲。

我展開包餐具的餐巾布，一顆藍色的六月豆落入我的手心。

隔天我還是沒見到蓋布利歐，再隔天也是。

屋外的地上開始積雪，我陪伴西西莉，聽她噘嘴埋怨不能外出堆雪人。以前孤兒院也不讓她在下雪的時候外出——天冷小孩太容易生病，員工又沒能力應付傳染病。

不過她只生了一會兒悶氣就再度昏昏入睡。我真巴不得她趕快生完孩子。我對她當下處境的擔憂已勝過寶寶出世後要面對的挑戰。她總是氣喘吁吁，要不就是哭個不停，套著婚戒的手指也變得腫脹。

我趁她睡覺時坐在窗台上翻閱地圖集，這才發現不只我的名字是條歐洲的河流，羅恩這名字原來是一種生長在喜馬拉雅山和亞洲的小紅莓。我不曉得箇中含意為何，又或者到底有無意義。但我最不需要的就是嘗試解開另一個謎團，於是一會兒過後，我只是呆望著窗外飄雪。西西莉窗外的景色很美。多半是樹，可能是真實世界裡常見的正常樹林。

可是當我看見黑色禮車開過雪地，便想起自己身在何處。我注視它繞過一叢灌木，然後直接穿進樹林。

直接穿進樹林！完全沒有衝撞。禮車就這麼直接穿越，好像樹林根本不存在。

我這才恍然大悟。那塊土地其實沒種樹。難怪我在任何一座花園或香橙園，都找不著通往大門的路。真正的路被某種幻象所掩蓋，就像在展覽之夜看到的那種全像投影。這就是了。道理這麼簡單，我怎麼到現在才搞懂？既然我搞懂了，沃恩設下森嚴的門禁、讓我難以獨自出門也就說得通了。

接下來一整天我都絞盡腦汁擬定外出計畫，以便檢查那片樹林全像投影，問題是思緒轉呀轉的最終都繞回蓋布利歐身上。就算我找到出去的路，也不能拋下他一走了之。我說過絕不會扔下他不管，可是他一開始就反對這個主意。假如他現在是因為我而惹禍上身，會不會完全棄絕逃亡的想法？

我只是得知他平安無事。在確定他安全無虞之前，我根本沒心思想逃跑。

晚餐送來了，但我茶不思飯不想，只是坐在書房桌前，一手插口袋不斷轉動那顆六月豆。珍娜分享她從書房讀物中發現的趣聞，試圖分散我的注意力；我知道她是為我好，因為通常只有羅曼史小說才能獲得她的青睞，但我就是無法集中精神。她連哄帶騙要我嚐些巧克力布丁，可惜美饌在我口中卻像漿糊般無味。

那晚我輾轉難眠。狄德麗為我放加了甘菊皂的洗澡水，在水面留了層綠色的泡沫。肥皂水宛如深層組織按摩，聞起來有天堂的氣息，只是我說什麼也無法放鬆。我泡澡的同時，她為我綁髮辮，說她從洛杉磯訂了新布料，做夏天穿的蛋糕裙會很好看。光想到我明年夏天還會待在這裡穿她做的裙子就讓我心情更加低落。我給的回應愈少，她的語氣似乎就變得愈急。她不懂我有啥好不開心的。我。貴為總督新娘，集三千寵愛於一身，丈夫說話溫文爾雅，又會為我雙手奉上全世界。她永遠是我樂觀的小太陽，老是問我好不好，對我噓寒問暖，想辦法讓我過得更舒服。我這才發現她從未提過關於自己的事。

「狄德麗，妳曾說過妳爸是位畫家。他都畫什麼？」在她為我添肥皂、加熱水的同時，我問她。

她手擱在水龍頭上、頓了一下，惆悵傷感地苦笑，「多半是肖像。」

「妳想他嗎？」我問道。我看得出來這個話題令她無比悲傷，但她的堅強與寧靜使我想起蘿絲，因此也知道她不會為此崩潰痛哭。

「沒有一天不想。」她說。然後她擊掌、合起雙手做十字、比出祈禱的手勢。「不過我人在這裡，得到一份喜歡的工作，已經是三生有幸了。」

「如果可以逃跑，妳想逃到哪裡？」

「逃跑？我為什麼會想逃跑？」她反問我。現在她站在櫥櫃前，在瓶瓶罐罐的香氛油前搜尋。

「這只是個假設。假如全國各地都能去，妳最想去哪兒？」

「可是我在這裡過得很好啊。」她輕笑幾聲，滴幾滴香草精油到水裡，肥皂水開始發泡爆裂。接著又說：「這個嘛，我爸畫過一幅畫——主題是沙灘。沙上有海星。我從沒摸過真正的海星，所以會想去那裡或類似那裡的地方走走。」她彷彿沉浸在回憶裡，眼神望穿浴室磁磚，後來回神問我：「洗澡水還好嗎？是不是要準備出來啦？」

「對。」我說。我換上睡袍，狄德麗往我雙腳和小腿擦乳液，不可否認的是這確實讓我稍微放鬆。她點亮幾根蠟燭，說這香氛能安神助眠。照理說蠟燭應該散發薰衣草和另一種叫檀木的芬芳，但在我酣然入夢之際，它們領我到一片陽光普照的溫暖沙灘、和一幅剛畫好的油畫。

隔天早上天沒破曉我就醒了。我夢見蓋布利歐用早餐托盤盛著地圖集來我房裡。它不似夢魘那般駭人，但醒來的孤絕感卻教我肝腸寸斷。

我放膽步上光線昏暗的走廊。薰香燒完了，隱約可聞到香料的燒焦味。我知道這個時間西西莉和珍娜仍在夢鄉——特別是西西莉，她自第三孕期起大多睡到中午才醒；但我相信她們總有人會答應和我共眠。或許這比一人獨眠要好。

我敲了敲珍娜的房門，聽見房裡某處傳來她的輕柔竊笑。一陣沙沙作響，然後她問：「是誰？」

「是我。」我說。

又是咯咯竊笑。「進來。」她說。

我打開房門，眼前是一間洋溢溫暖燭光的臥房。珍娜坐在床上，手指梳理一頭亂髮；林登則在繫緊睡褲。他赤膊蒼白，臉頰紅潤，匆匆忙忙地穿上襯衫，連扣子都沒扣就起身走向門口。「早安，寶貝。」他向我打招呼，卻不太正視我的目光。

這本來就理所當然，天經地義。珍娜是他的妻子，他是我們的丈夫。我應該習慣這個概念。這是無可避免的，我遲早都會瞥見閨房門後的纏綿。話雖如此，那要命的緋紅還是不由自主地染上我的雙頰，看得出來林登也一臉尷尬。

「早。」我說。意外的是我竟然沒有結巴。

「這麼早，妳該想辦法再睡個回籠覺。」他語畢便飛快在我唇上一吻，並倉促地步向走廊。

我將注意力擺回珍娜身上，只見她繞著房間吹熄蠟燭，身上香汗淋漓，接近臉的髮絲濕答答的，睡袍的扣子也沒對準扣齊。我從沒見過這樣具有野性美的她；經常見她這個面貌的想必只有林登。我隱忍一波醋意，因為這實在太荒謬了。我沒理由要吃醋。真要說什麼，她這是在幫我分散林登對我的愛意。

她說：「這些玩意兒很難聞對不對？就像在聞皮夾裡層一樣。林登總督覺得這樣才有情調。」

「他在這裡待多久了？」我以慎重的口氣問道。

「呃，待了一整晚。」她說著說著又往床上倒。「我以為他說什麼都不會下床。他的說法是，如果我們嘗試各種不同的姿勢，我就會懷孕。」

我努力不要臉紅。西西莉的愛書之一：《印度慾經》封面朝上攤在地上。

「妳想要懷孕嗎？」我問她。

她哼了一聲鼻息。「跟西西莉一樣像隻河豚腫起來？不想。但我又能怎樣？更何況，我也不知道他為什麼就是沒辦法搞大我肚子。大概我比較走運吧。」她輕拍身旁的床墊，邀我過去坐。「所以怎麼啦？」

少了燭光的臥房幽暗不少，我幾乎看不清她的五官。幾分鐘前我真的指望來這裡入眠嗎？如今看來這似乎是天方夜譚。「我很擔心蓋布利歐。」我說。我坐在林登幾分鐘前繫褲腰帶的床邊；不知怎地，我就是無法鑽進被窩。

珍娜坐直身子，伸手摟我。「他不會有事的。」她向我保證。

我鬱悶地望著自己的大腿。

「好，夠了，起來吧，我知道妳需要什麼。」她邊說邊拉我起身，自個兒也下床。

幾分鐘後我倆蓋著毛毯，縮在起居室的沙發上，共享她向廚房要的一加侖香草冰淇淋，收看昨天肥皂劇在今天清早的重播。這是羅曼史小說之外，其他令她有罪惡感的消遣娛樂。演員都由青少年擔綱，畫老妝粉墨登場。珍娜說演員一直在換，因為這齣長青劇演了超過十年，最初的演員早就駕鶴西歸了。唯一不換人的角色是第一代。她向我解釋誰陷入昏迷，誰又在不知情下和邪惡的雙胞胎結婚；和她沉浸在電視的光與熱中，我確實開始稍微放鬆。

「妳們兩個好吵哦。一大清早的在幹麼？」西西莉站在門口揉眼睛。她的肚腩像個吹得太大的氣球。她懶得去扣睡袍最後幾顆鈕釦，肚臍周圍的皮膚繃得亮到刺眼。

「這齣戲叫『瘋狂世界』。」珍娜邊說邊在沙發上挪位子。西西莉坐在我倆中間，取走我插在冰淇淋小丘的湯匙。「妳看，這個男的——麥特——愛上了護士，所以故意摔斷手臂。可是女方正準備向他報告X光的結果，也就是他長了一顆腫瘤。」

「什麼是腫瘤？」西西莉舔了舔湯匙，又往紙盒挖更多冰淇淋。

「以前腫瘤是致癌的壞東西，場景設在二十世紀。」珍娜說。

「他們該不會要在手術台上做愛吧？」西西莉懷疑地說。

「噁心。」我說。

「我覺得很浪漫。」珍娜過度動情地說。

「很危險吧。像是那裡有一盤針筒。」西西莉大動作地拿湯匙比劃。

「他才剛被宣判死刑，還有什麼時候更適合採取行動熱愛自己的生命？」珍娜說。

事實上，螢幕上的這對男女確實開始在手術台上行魚水之歡。播放的尺度受到把關，道具的擺設遮住演員的重點部位，攝影機也只給演員的臉部特寫鏡頭；儘管如此，我仍別過目光。我舀一匙冰淇淋，等羅曼蒂克的樂聲停止。

西西莉發現了我的彆扭，便說：「妳真是老古板。」

「我才不是呢。」我說。

「妳甚至還沒跟林登圓房，妳到底在等什麼？我們的五十週年金婚紀念日？」她說。

只有西西莉相信沃恩會找到他的奇蹟解藥、所有人都會活到老。

「西西莉，我臥房裡的事與妳無關。」我說。

「只是做愛而已，沒啥大不了的。我跟林登幾乎每天都做。有時還一天兩次呢。」她說。

「哦，妳少來了，真會吹牛。他呀，擔心光是看妳的眼神有點奇怪，妳就會流產。」珍娜說。

西西莉怒髮衝冠。「這個嘛，等我懷完這個愚蠢的孕，就會身體力行了。要是妳們以為負責生小孩的只有我，那就是大錯特錯。」她拿湯匙在我跟珍娜中間揮舞。「妳們其中一位準備接力。珍娜，妳沒藉口推卸責任。你們多常關門辦事我都看在眼底。」西西莉雖然並非我們之中觀察最敏銳的，卻似乎總是知道臥房裡發生什麼事——又或者，以我的例子：沒發生什麼事。

珍娜一臉不自在，突然將一勺冰淇淋塞進嘴裡。「我們有努力啊，只是沒結果。」

「那就再接再厲。」

「換個話題好嗎？」

她們繼續爭論不休，但我把注意力轉回電視，場景現在安全多了，是兩人在花園裡交談。我不想參與她們的對話。我對西西莉和珍娜姊妹妻的角色，比當林登妻子更為融入。我無法允許自己從她們討論的角度去想他。無法允許自己用那種角度去想他們任何人。

這時蓋布利歐再次浮上我的心頭。我們在颶風過後的那個吻，渴望的溫熱填滿我的身體，減輕我的痛苦。倘若我們設法逃離這座府邸，彼此之間的連結是否會更進一步？答案尚不可知，但和蓋布利歐私奔的誘人之處在於：我將有自己當家作主的自由。

一波熱潮在我大腿間湧現，口中的冰淇淋嚐起來也有兩倍甜蜜。我沒來由地輕嘆一聲。

第十八章

林登問我：「妳跟珍娜很要好對不對？」

我和他手牽手穿過香橙園變成的沉睡冬日仙境。圍繞我們的不是白就是深白，工人為我們鏟出一條走道所堆成的雪堆與人同高。原來南方的氣候也是這麼極端。

「她是我的姊妹妻。」我答道，並朝著自己呼出的熱氣點點頭。林登望著我倆十指交扣的手，我戴著狄德麗鉤織的手套。他把我的手拉向唇邊吻了一下；我倆前行的同時，我說：「她是不是不常跟你講話？」來這裡的十個月，珍娜一直為自己身為籠中鳥和姊妹慘遭滅口而懷恨在心。這也怪不得她。假如西西莉發現我們的姊妹妻和丈夫關係緊繃，她八成會為了少掉一名競爭者而竊喜不已。倘若珍娜有心，輕而易舉就能成為我競逐大老婆后座的勁敵。她美麗優雅，如果你不必為她家人命喪黃泉而負責，她絕對是慈悲為懷、忠貞不二。

「通常不太聊。昨晚她邀我進她房間，如妳所知，我們共度一晚，聊了很多。」他微微臉紅。

我皺起眉頭。「聊天？聊什麼？」

「聊妳，她很擔心妳。寶寶要出生了壓力很大什麼的。」他說。

「林登，又不是我要生寶寶。」我說。

「對。」他表示同意。「但珍娜說我爸把妳們三個看得很牢，這對妳來說特別困擾，畢竟妳想照顧快要臨盆的西西莉，卻連自己獨處的時間都沒有。」

「三個老婆整天待在同一層樓確實有點擁擠。」我雖然贊同卻又困惑。珍娜想要幹麼？林登對我綻露微笑。他看起來像個小男孩，鼻子和臉頰通紅，黑色鬈髮亂糟糟地穿出他的針織帽，像是蘿絲照片裡的那個孩子。「那麼這點應該可以改善。我跟我爸談過了。嗯，這個給妳。」我們停下腳步，他把手伸進羊毛外套口袋，取出一只包裝得五彩繽紛的小盒子。「雖然冬至還要一個禮拜才會來，但我覺得現在就該把這個給妳。」

我脫掉手套好解開美麗的蝴蝶結，動作迅速地拆禮物，以免開始凍僵的手指動不了。包裝紙內是個小盒子，我打開盒蓋，猜想裡面大概裝了鑽石或黃金這類不實用的禮物，但沒想到竟是別的。是一張串在銀製項鍊的塑膠卡片。這我見過，每個侍從脖子上都掛著它。

那是張通行電梯的鑰匙卡。

我美夢成真了。成為大老婆，也贏得隨之而來的信任。我情不自禁地發出尖叫，又趕緊摀嘴，興奮之情溢於雙眸。自由，剛被裝在小盒裡遞給我。「林登！」我叫道。

「聽我說，鑰匙卡無法讓妳在**每一**層樓通行無阻，只能帶妳通往一樓外出透透氣，還有……」我撲向林登懷裡，他不再往下講，只是朝我頭髮深深呼了口氣。

「謝謝。」我說，可惜他不懂我在謝什麼，他永遠都不會懂。

「喜不喜歡？」他有點訝異，輕聲問我。

「太喜歡了。」我說完便抽回身子。他對我綻露稚氣的笑容，這一笑他和他爸的形象簡直天壤之別。寒意使他的嘴唇特別泛紅，我覺得他正是狄德麗爸爸筆下的那種美男子。如此溫順可愛又討喜。他把我的臉捧在手心，我們就在結婚十個月內第二次接吻。這也是我第一次沒有退縮。

我回到妻妾樓後，在走廊上一邊奔跑，一邊呼喚珍娜的名字，鑰匙卡跟著在我脖子周圍晃。我的舌尖依舊殘留著林登的微弱味道，它和走廊上向我感官鋪天蓋地而來的線香味毫不搭調，好像我剛從一趟外太空之旅回家似的。

我找不到珍娜，西西莉又在睡覺。我可以聽見她在臥房緊閉門後的打鼾聲。我呼叫狄德麗，結果她說阿戴爾也不知珍娜的去向，但是不用擔心，因為她走不遠的。沒錯，她走不遠。於是我在書房一面靜待消息，一面查更多有關萊茵河與羅恩果的資料，只是果不其所然地一無所獲。於是我閱讀有關蜂鳥的生命週期，直到林登叫我去吃晚餐。

挺著八個月沉甸甸大肚子的西西莉，進了電梯便靠在我身上，埋怨背痛。侍從提議用托盤將晚餐送到她床上，她卻說：「別傻了。我要跟大家一樣和我丈夫同桌吃飯。」

我們一進飯廳，我就看見珍娜已和沃恩坐在餐桌前。她臉色發白，就算我跟西西莉按照年紀在她身旁入座，她卻連眼皮都不抬一下。上個月珍娜悄悄過了十九歲生日。她跟我說的。還剩一年。我問她等一切計畫妥當要不要跟我一起逃走，卻被她婉拒了。即使身體要成為沃恩的實驗品她也不在乎。屆時她會遠離這裡，離得遠遠的，和她失散的家人團聚。

如今坐在珍娜身旁的我，不禁開始揣想等她死後，沃恩會拿誰的骨灰給林登撒。我跟自己約定不要參加那場喪禮。

林登也加入晚餐，這頓飯吃得很悶。西西莉身體不適，她一定很不舒服，居然看見我脖子掛著鑰匙卡也沒有怨言，只是不自在地蠕動身軀。後來一位侍從遵照吩咐替她拿枕頭靠背，把枕頭擱在她背後，她也沒對他大呼小叫。

我還是懷抱希望，期待見到蓋布利歐，可是上菜的侍從裡就是不見他的身影。那顆六月豆，我還是放在口袋裡；他的手帕我也依舊藏在枕頭套內，希望他沒事，但願很快就有他的音訊。我的掛慮一定溢於言表，因為沃恩問我：「親愛的，妳還好嗎？」我表示自己有點累，西西莉說她敢打賭她比我累，珍娜則不發一語，這只讓我更加擔憂。

不過我努力和林登持續愉快交談，因為這是我能力範圍內唯一能做的。西西莉偶爾會插上幾句，珍娜拿叉子亂戳水煮胡蘿蔔。沃恩要她吃點東西，儘管面帶笑容，語氣卻很嚇人，而她也只能唯命是從。

吃完點心後，我們在侍從的護送下回到妻妾樓。西西莉回床上休息，我跟珍娜無須言語便一同撤到書房書架間的走道。「妳得到鑰匙卡了。」她說。

「託妳的福。妳怎麼說服他的？」我說著說著就想起今天清早打擾了她和林登。

「其實我根本不用費什麼唇舌。」她邊說邊漫不經心地用手指拂掠書脊。「他早就有這個念頭了，我覺得他只差別人推他一把。瞎子都看得出來我無意當他的大老婆，反正再過一年我就要嗝屁了。」──這句話她說得若無其事，教我聽了心碎──「西西莉雖然可以活得最久，卻沒有能耐挑起重責大任，所以只剩下妳了。我是這麼跟他說的。萊茵，這個位子應該由妳來坐。妳的虛情假意已成功騙過他了。演技這麼了得，連我也差點被妳騙倒了。」

我對林登的鍾愛並不全然是逢場作戲，但我不知該如何解釋我對他的感覺，因為我自己也搞不懂那是什麼感覺，只好說了聲：「謝謝。」

「但聽我說……小心為妙……今天下午妳出去的時候，我從一個侍從口中套出蓋布利歐的下落。」她湊到我面前，用她那熱切的口吻對我說。

「什麼？他人在哪兒？沒事吧？妳跟他說到話了嗎？」我說。

「我試過。」她說。

「侍從送午餐上來，我又開始抱怨，打算去廚房。進電梯之後，我按下緊急按鈕，也就是通往地下室的那一顆。」

「地下室？妳去那裡幹麼？」我邊說邊緊張地吞嚥口水。

「蓋布利歐被無限期調到那裡，抱歉。我試著去找他，但一踏進走廊就撞見沃恩戶長了。」

她說完眼底馬上溢滿同情。

我感覺有人朝我胸口踹了一腳，得彎下腰才喘得過氣，最後反倒整個人坐在地上。「他是因為我才被困在那裡。」我說。

珍娜跪在我身旁。「不是的。地下室有好多房間。有暴風雨避難所、緊急醫護室、還有物資櫃，裡頭裝滿了生化危機服、醫療供應品，和給貼身佣人裁縫的布料。也許在那裡工作沒那麼糟呀。戶長本來就一直調動員工的職務。」

「不，我知道是我不好。」都怪我太魯莽，他吻我時，房門是敞開著的。敞開著的！我怎麼可以這麼蠢！我們聽到的聲響八成來自沃恩，只是他趁人還沒發現就像條蛇悄悄溜走了。

我往地板搥了一拳，但後來珍娜抓住我的拳頭。「聽我說，我跟戶長說我迷路了，但他大概不吃我這套。我八成會被禁足一輩子。」她說。

「珍娜，我很抱歉……」

她撥開我額頭的頭髮。「但我會想辦法分散他對妳的注意力。我會……我還沒明確的想法。我或西西莉會大發脾氣，鬧得人仰馬翻，然後妳就有機會下樓找他。如何？妳會找到他，確定他平安無事。」

「妳願意這麼做？」我問她。

她淺淺一笑，有那麼一秒看起來像極了蘿絲臨終臥床的笑容。她說：「當然，反正我能有什麼損失？」

我倆並肩靜靜坐了一會兒；在此同時，她的問題不斷在我腦中迴響。她能有什麼損失？她在走廊撞見沃恩之後，一整個下午又跑到哪兒去了？我們有天躺在彈簧墊上，她若有似無地暗示自己害怕，但當時我沒勇氣追問下去。

「珍娜，他對妳做了什麼？」我問。

「誰？」

「妳知道我在指誰。沃恩戶長。」

「沒做什麼。」她答得未免太快了點。「就像我剛說的。他在地下室逮到我，然後送我上樓。」

「珍娜，妳整個下午都不見人影。」我說。她盯著地板，我用手指抬起她的下巴。她與我四目相交了一秒。在那駭人的一秒，我可以看見她眼底的痛苦。看見有什麼東西碎了。然後她退卻起身。

「妳怎麼知道地下室有哪些房間？之前妳只去過暴風雨避難所。又怎會知道那裡有生化危機服跟緊急醫護室？」我邊說邊跟著她走向書房門口。

我跟珍娜有默契，不讓西西莉捲進這場是非紛擾。我們對她關切保護，但因為她跟林登與沃恩關係密切，所以某些事我們對她有所保留。可是我萬萬沒想到珍娜也有事瞞著我。現在我才知道她隱瞞祕密已經好一陣子了。她不再往門口前進，只是望著自己的腳、啃咬下唇。哥哥的聲音在我腦海中浮現。妳的弱點在於太感情用事了。

但羅恩，我怎能不感情用事呢？又怎能不在乎呢？

「告訴我。」我說。

「這不重要。」她輕聲答覆。

我忘了原本一直壓低音量，哭喊著說：「跟我說他做了什麼？他對妳做了什麼？」

「沒做什麼！重點是他要對妳做什麼。他知道之前妳試圖逃跑，還指望我說服妳留下，但我卻反過來幫妳的忙，所以請妳閉嘴讓我好好幫妳！」她回吼道。

我震驚到沒跟著她一塊兒出門，只見她衝出書房、重重摔門。

壁爐的全像投影縮了一下。

第十九章

後來整個晚上我的心情有如愁雲慘霧。狄德麗試著按摩我的肩膀，但眼見自己的努力完全安慰不了我，她似乎顯得心力交瘁。「我能幫上什麼忙呢？」她問道。

我想了一下便說：「能不能請人幫我修指甲？或許再來個蜜蠟修眉？也許打理一下儀容，我心情會變好。」

狄德麗拍胸脯保證我已經美麗動人，但仍欣然接受我的要求。過沒多久，我便泡著暖呼呼的洗澡水，任一群聒噪的第一代佣人倒潤髮乳為我按摩頭皮，並連毛帶皮地撕膠布幫我修眉。她們是我大喜之日為我梳妝打扮的同一批人，令我寬慰的是，她們自個兒聊八卦聊得太起勁，所以沒發現我鬱鬱寡歡。接下來我要發問，也變得比較輕鬆。

我說：「初次見面那天，妳們問我眼睛是不是真的？虹膜可以染色嗎？」虹膜染色聽起來很痛、很荒謬，但我待在這裡這段時間已經見怪不怪了。

女人哄堂大笑，其中一位說：「當然不行！只能染髮啦。眼珠想變色要戴隱形眼鏡。」

「直接貼在眼睛上的小塑膠片。」另一個女人說。

感覺這跟眼珠染色一樣荒唐，但我問道：「會痛嗎？」

「不會痛啦！」

「完全不痛！」

我問：「那這裡有隱形眼鏡嗎？我好想知道自己配上一對綠眼會是什麼模樣。不然漂亮的深褐色也行。」

侍從們歡欣鼓舞地答應這項要求。其中一位離開，帶了幾個裝著隱形眼鏡的圓形小器皿回來。隱形眼鏡的模樣看起來教人心神不寧，像是從眼球剝下來的虹膜，看了我差點要把晚餐給吐出來。但我忍下來了，假如我跟一群女孩擠在廂型車、遭到非人的待遇都熬過來了，戴隱形眼鏡又怎難得了我？

我試了幾次才把鏡片戴入眼中。我不斷眨眼，不然淚液會把它們沖掉。其中一位侍從乾脆放棄，對我說：「親愛的，妳的眼睛已經夠美了。我相信妳丈夫不會要妳改變的。」但另一位堅定得多，與我合作戴好鏡片，我終於能凝視鏡中那雙新的綠眼。

我必須說這實在太神奇了。

侍從們為試戴隱形眼鏡成功而歡呼，並在離開之前，留下一瓶隱形眼鏡保養液和一些藍色與褐色的鏡片供我練習。她們提醒我睡覺前要取出鏡片，否則它們會黏在虹膜上，屆時就很難摘下了。

侍從們一走，我馬上開始試戴綠色鏡片並將它拔下。我憶起蘿絲逮到我試圖撬開電梯脫逃的那個午後。她說沃恩為了我這雙眼，八成得付更高的價碼。而今天下午稍早，珍娜說她擔心他會對我伸出魔爪。不是對她，也不是對西西莉。而是對我。這兩件事有關聯嗎？如果有，關聯又是什麼？他會把我的眼珠從眼窩挖出來，做虹膜異色症的實驗？從虹膜異色症下手找解藥？我能預見他將會舉辦派對；場地設計圖可以交給林登操刀。

我將鏡片泡在保養液中，然後睡了無夢酣甜的一覺。

到了早上，我跟珍娜趁早餐時間暗中密謀。我們坐在我的床上，壓低音量討論，最後覺得終於想出一個既能支開沃恩、又能讓我混進地下室的計畫，卻聽見西西莉放聲尖叫。我們衝進她的臥房，只見她臉埋在床墊上，跪在地上一灘血水之中。她的背隨著喘氣和啜泣而抖動。

心跳聲在我耳裡怦怦作響，我跟珍娜努力拉她起身。現在連扶她上床都成了件苦差事，因為她緊縮身子，身體又出奇的重，人也因疼痛而歇斯底里。「要生了，我要生了，寶寶早產，我撐不住了。」她哭喊道。

我們設法讓她躺在床上。她氣喘吁吁、臉色發白，兩腿間的床單因她的鮮血綻成緋紅。

「我去找林登總督。」珍娜說。我也準備與她同行，但西西莉一把抓住我的胳臂，指甲掐進我的皮膚，說：「不要走！不要離開我。」

她的狀況急速惡化。我對她輕聲安撫，但這些話她似乎都聽不進去，只是失控地不停翻白眼，發出恐怖的呻吟聲。「西西莉。」我搖她的肩膀，希望她回神。不然我也不知該如何是好，畢竟讀那些分娩知識的人是她。她才是專家，我無能為力。無能為力又驚恐。

她說得對。這是早產。照理說還要一個月才會生，況且也不該流那麼多血。她痛苦地扭動雙腿，鮮血染到處都是，她的睡袍和蕾絲白襪全都見紅。

「西西莉。西西莉，不要睡著啊。」我抓著她的臉。她的雙眼茫然不解地瞪著我，瞳孔又大又不真實。

她伸出那冰冷的小手碰我的臉頰。「妳不要走。」

她說話的語氣異乎尋常，可能是精神錯亂喚醒了更深長的渴望，要不就意味著更急迫的需求。她的褐色雙眸寫滿恐懼，是我前所未見。

沃恩衝進房裡，後頭緊跟著一群侍從和上氣不接下氣的林登，他們從這裡接手。我讓位給林登，他理所當然地貼在她身旁、握著她的手。侍從們推來好幾車醫療器具，沃恩扶她坐起身子。「這樣才乖哦。」他一面輕哄，一面拿巨大的針筒刺向她的脊椎。這一幕教我看了頭昏眼花，但不知為何，注入液體之後，西西莉的臉龐變得異常冷靜。我一直後退，退到門口。

「妳的機會來了。」珍娜竊竊私語。她說得對。現在就算我趁亂放火燒屋，也不會有人發現。這正是我到地下室找蓋布利歐的最佳時機。

可是西西莉在插滿管線、機器、白色橡膠手套的血海中顯得好弱小。她不斷喘氣呻吟，我突然好怕她會死掉。

「不行。」我說。

「我會看著她，確定沒有壞事發生。」珍娜說。

我知道她會這麼做。我相信她。問題是她沒聽過蘿絲的寶寶的故事，蘿絲生產時只有沃恩從旁照顧，以及沃恩趁她麻醉沒醒做了什麼可怕的事。他在颶風過後對我做過類似的事。林登妻子無法反擊時，他就變得最為險惡。看見他戴著手套的手掀起西西莉的睡袍，我說什麼都不會離開這間臥房。

教我離不開的還有別的。西西莉已成為我的姊妹，我覺得我有義務保護她，就像我和哥哥相互照護一樣。

分娩的過程像是經歷數小時之久。西西莉偶爾尖叫著亂甩雙腿，偶爾時睡時醒，或者緊咬愛兒從紙杯拿來餵她的薄冰塊。其間她叫我說個關於那對雙胞胎的故事。我當然不願當著滿屋子的侍從以及林登和沃恩的面細說我的生活點滴，於是改說發生在我媽身上的故事，至於我不清楚的細節則靠美化情節來彌補。故事裡的社區人人都會放風箏。居民還有滑翔翼，也就是人可搭乘的巨型風箏。搭乘者要站在高處，好比說橋上或摩天大廈的樓頂，接著縱身一躍，滑翔翼便能乘風而行、翺翔天際。西西莉迷濛地嘆息道：「好像變魔術哦。」

「是呀。」我說。除了眼前的一切，我現在也開始想念媽媽。她遇到這個情況一定知道該怎麼做，畢竟她接生過這麼多嬰兒。臨盆的年輕媽媽會把寶寶捐給實驗室，以換取產前照護，好幾個月不愁溫飽，不用流落街頭。而我媽對待新生兒總是小心翼翼。她一心掛念的只有找到解藥，好讓下一代活完整的歲數、過正常的人生。小時候我總相信爸媽能達成目標，可是當那場爆炸案奪走他們的性命，羅恩說一切都沒有意義。他說這個悲慘世界沒救了，而我也信了他。如今我即將親眼目睹下一代的新生兒誕生，卻又不知自己該相信什麼。我只知道我希望他不是死胎。

西西莉隨著另一次子宮攣縮繃緊身子，背也拱離床墊。我握住她一手，林登握另一隻；說也奇怪，我一度覺得她像是我們的小孩。我發現我講風箏故事的全程，他都對我投以感激的目光。這時她發出一聲駭人的驚叫、嗚咽。她顫抖雙唇。林登試圖安撫她，可是她頭一撇，不讓他親；任憑我們怎麼哄，她都只以呻吟和尖叫回應。看她淚流滿面的同時我也感覺自己淚水盈眶，最後忍不住怒嗆沃恩：「你難道不能幫她止痛嗎？」他醫術高明，是人體結構的專家，又壯志凌雲，誓言找到解藥，當全人類的救星。

他不帶感情地與我四目相交。「不需要。」

侍從們把西西莉的雙腿架在兩個看起來像是自行車踏板的古怪台子。他們好像稱之為馬蹬。沃恩屈身湊近，親吻西西莉冒汗的額頭，對她說：「親愛的，快結束了。妳做得很好。」她疲倦地微微一笑。

珍娜臉色發白，坐在沙發床上。不久前她才幫西西莉把出汗的頭髮往後綁成辮子，只是那時起她就不多話了。我想過去與她同坐，彼此慰藉，但西西莉說什麼就是死命抓我、不肯鬆手。但才一眨眼的功夫，沃恩就叫她向下使勁。

值得嘉許的是，她不再為產痛呻吟，而是坐直身子、抵著床頭板，一改愁容，面露堅毅的神情。她準備好了。她要奪回主控權。

她使勁推，頸部靜脈隨之隆起，皮膚脹成彷彿曬傷的粉紅色。她咬緊牙關，掐緊我跟林登的手。緊繃的長聲嗚咽卡在她的喉頭，憋久了爆出一聲喘息。一聲一聲接著一聲，之間只隔幾秒歇氣。她開始洩氣，沃恩告訴她再用力一次，這是最後一次了。

結果他說對了。她使勁推，伴隨著可怕的血崩聲把寶寶生出來了。但更駭人的是接踵而來的沉默。

第二十章

我們引頸翹望，靜待結果。我想要別過頭去，我猜林登也有同樣的念頭，只是眼見其中一位侍從捧起這個血淋淋、一動也不動的蒼白嬰兒，我倆都嚇得動彈不得。所有人都被定格似的。珍娜坐在沙發床上。西西莉緊抓我倆的雙手。侍從們宛若沉睡的牛羊。我還來不及聯想沃恩會用對待上一個孫子的方式，狠心讓這個寶寶自生自滅，就被他捷足先登。他抱走剛出生的孫子，把一根像是烤火雞用的澆油管塞進他嘴裡，下一秒整間臥房變充斥一聲淒厲的哭聲，寶寶也開始揮動四肢。西西莉這才鬆了一口氣。

「恭喜，妳生了個兒子。」沃恩邊說邊用他戴著手套的手高舉不斷蠕動的嬰孩。房裡頓時歡聲雷動。依舊哭個不停的寶寶被帶去清潔、檢查。林登把西西莉的臉貼向他，嘰哩咕嚕地輕聲交談，談話間不時接吻。

我往珍娜身旁的沙發床一倒，我們伸出胳臂互摟對方。我低聲說：「謝天謝地，終於結束了。」

「說不定還沒完呢。」珍娜說。

我們望著侍從照料西西莉，只見她排出胎盤後，還是繼續失血，依然虛弱，再多慰藉也無用。她被搬到一張輪床上，我馬上奔向她身邊。這回換我緊握她的手，說：「我跟她一塊兒走。」

「走？不，她哪兒也不去。我們只是要把這一團亂清乾淨。」沃恩笑道。侍從們已動手換床單。沃恩看了之後下指導棋般地說：「不，這樣不好。整張床墊都毀了。」

「我的寶寶呢？」西西莉低聲問道。她兩眼呆滯迷濛。淚水和汗水滾落她的臉龐，胸口的氣也呼吸不順。

「親愛的，我們很快就會見到他了。」林登語畢便吻了她一下。此刻的她看上去像個孩子。假如我不認識他們，幾乎會相信這是在正常情況下、正常醫院裡的正常爸媽。

但不用說也知道早就沒有所謂的正常。任何正常的可能，如連同我父母在內的研究室，在許久之前遭到毀滅。

西西莉看起來如此虛弱疲憊，她的臉上毫無血色，我的擔憂隨之一一浮現。要是她失血過多怎麼辦？萬一她被感染了呢？她身子小小一個會不會承受不了分娩帶來的創傷，產生其他併發症？希望沃恩能送她去醫院，就算是他在城裡開的那間醫院也好。總之是光線明亮、有其他醫生駐診的地方。

這些掛慮我隻字未提，我知道自己人微言輕。沃恩說什麼都不讓我們走；假如我說出此提議，說不定會嚇著西西莉。我將她的頭髮從她汗濕的臉龐撥開，只幽幽說了句：「妳該休息了；這真的是妳應得的回報。」

「親愛的，這是妳應得的回報。」林登也附和道，吻了她的手，並拿它貼著自己的臉頰。她昏睡過去，唇邊泛起一抹淡淡的微笑。

那晚西西莉沒有打鼾、睡得很沉。想起颶風過後在病床上見到沃恩，虛弱得無法保護自己，我便三不五時檢查她的狀況。她的身子幾乎沒動過；看到林登忠誠地與她作伴令我如釋重負。

還沒用晚餐，珍娜便就寢了。但沃恩老是找藉口到妻妾樓探視他剛出世的孫子的媽。看來我有好一陣子無法溜到地下室，是再明顯不過的事實。這太冒險了，況且鑰匙卡才到手沒多久，我可不希望它被沒收。我試著自我安慰，想像蓋布利歐人安好無恙。畢竟他有辦法捎給我六月豆。也許我們接吻的事，沃恩毫不知情。也許蓋布利歐只是被派去清潔醫療器材或拖地。但再怎麼說，光是想到他獨自待在那無窗的地下室，我心裡就忐忑不安。除此之外，寶寶被送走之後，我就也沒看過他了。每當我聽見臥房外沃恩乾巴巴的嗓音，我總以為他要宣布寶寶的死訊。

蓋布利歐，如果你在下面看見寶寶，請你好好照顧他好嗎？

過了午夜不知多久，我一面賞雪一面品嚐伯爵茶的同時，林登走進我的臥房。他眉開眼笑、容光煥發，燦爛地咧著嘴笑。「我剛去見他了。我的兒子。他好可愛，身強體又壯。」

「林登，我很為你高興。」我說。這是我的肺腑之言。

「妳好嗎？」他邊說邊把躺椅拉向我，往上頭一坐。「吃得飽不飽？還需要什麼嗎？什麼都行？」

他正值福星高照的時刻，而我必須承認這稍微讓我好過一點。好像一切真的會否極泰來。

我微笑著搖搖頭，望向窗外。「滿月。」我說。

「一定是吉兆。」他伸手觸摸我的一綹髮絲，接著往我身旁的窗台坐，我把膝蓋縮到胸前挪空位給他。他對我綻露笑容，我感覺他要靠近。我擋在兩人之間的雙腿，被他輕輕移開；我兩腿落地，他抬起我的下巴吻我。

我任由他吻，因為我是大老婆——那張鑰匙卡是我正式取得這頭銜的鐵證——也因為我答應過他要當個更稱職的妻子，要是我把他推開，想必會讓他起疑。況且，說老實話，和林登．艾許比接吻並不是世上最糟的事。

這個吻纏綿了一會兒，接著我感覺他手指開始解我睡袍的鈕扣，便把身子往回縮。

「怎麼了？」他的嗓音和眼神一樣朦朧。

「林登。」我羞紅著臉說，並扣好他設法解開的那顆鈕釦。我想不到一個適當的理由，只好遙望明月。

他問：「是不是因為門還開著？那我去關。」

「不是，跟門無關。」我說。

「那是怎麼了？」他又抬起我的下巴，我遲疑地將目光移向他。「我愛妳，我想跟妳生寶寶。」他說。

「現在？」我問他。

「不久之後，遲早都要。我們能共處的時間就這麼短。」他說。

比你想像的還短哪，林登。但我只說：「我還有好多事想跟你一起做。我想去外面見見世面，想看你設計的草圖蓋成房屋。我想……我想參加冬至晚宴，一定很快就要辦了吧。」

他浪漫的神情從臉上消逝，取而代之的究竟是困惑還是失望，我分不清。「這個嘛，大概會辦吧。下禮拜就冬至了……」

「我們可不可以參加？漂亮的布料狄德麗那裡有很多，問題是她很少有機會幫我做新衣。」我說。

「如果妳參加會開心的話。」

「會的，到時候你就知道了。踏出戶外對我倆都好。」我邊說邊吻他。

可是他一臉哀傷，我只好讓步，坐得離他很近，讓他環抱著我。他嘴巴說愛我，只是我倆對彼此的了解這麼少，又談何愛或不愛？我不能否認很容易被幻覺帶著走。不能否認坐在皎潔的月光前，被他的溫暖包圍，確實感覺像愛。有那麼一點。或許有吧。

「你只是興奮過頭了，你喜得麟子，光是他就夠你開心的了。到時候你就曉得了。」我向他保證。

他親吻我的頭髮。「或許妳說得對。」

儘管他試著附和我，我卻知道我這只是自欺欺人。他三番兩次求歡未果，再這麼拒絕下次遲早他會起疑。無論怎麼計畫逃亡，總是事不宜遲。

蓋布利歐不在，便由那位緊張兮兮的第一代侍從為我們所有人送餐。我跟珍娜同時在書房等著用午餐，但相較於我得到的關注，她簡直形同隱形。

「希望妳滿意今天的午餐，凱撒碎沙拉配烤雞。假如不合胃口，想吃什麼別的，主廚會幫妳重弄。」侍從一邊掀開托盤的蓋子，一邊對我說。

「看起來很好吃，我沒那麼挑嘴。」我安撫他。

「萊茵小姐，我不是那個意思。完全沒那個意思。祝妳用餐愉快。」

珍娜對著她的餐盤咧嘴而笑。侍從離開後，我說：「看到了吧？這只是冰山一角。今天早上還有個侍從問我需不需要她幫忙梳頭。有怪事發生了。」

珍娜咬下叉子上的生菜。「對大老婆來說，沒啥好奇怪的。」

「光憑一張鑰匙卡他們就曉得了？」我問道。

「那是關鍵，但也不止這樣。」她舉起玻璃杯與我碰杯。「姊妹妻，恭喜妳啦。」

我苦樂參半地答覆：「謝了。」

在侍從總動員、忙著服侍我每項需求的同時，我開始擔心這張鑰匙卡背後的意涵。起初我以為它意味著更多自由，但如今我不禁懷疑沃恩策劃的計謀不只那麼惡毒，因為這些額外的噓寒問暖使我難以找到獨處的時間。雖然隨時可以踏出屋外，卻有侍從三不五時端著熱可可或送茶給我。他們一晚進我臥房兩次，甚至三、四次之多，只為了問我需不需要添枕頭、有沒有冷風從窗縫吹進來。

我免不了揣測沃恩給我這張鑰匙卡，是存心要讓底下的人用無微不至的關懷把我悶壞。說不定他只是為了嘲弄我，才把蓋布利歐給藏起來。

而我能去的地方，沒有一處通往蓋布利歐。我知道應該趁西西莉產子，眾人注意力分散的同時去找他。珍娜從那時起提點我了。但我說什麼就是放不下她。

我還是為她擔心。縱使她跟兒子熬過分娩這關，生子之後她的身體卻一直虛弱不堪。她的臥房保持陰暗溫暖，不僅充斥藥味，也微微帶有沃恩地下室的氣息。她在睡夢中咕噥著音樂、風箏和颶風。依照沃恩的診斷，她失血過多；這點我同意，但見她接受輸血，仍感到渾身不自在。我躺在她身旁，陪她復原，等她雙頰慢慢恢復血色，同時也納悶流經她體內的血究竟是誰的。也許是蘿絲的，或某個被迫捐血的侍從。不曉得我認知中心狠手辣的沃恩是否真的運用醫術治療西西莉。但日子一天一天過去，西西莉竟逐漸康復了。

寶寶一哭，林登便把他帶到西西莉床邊。睡眼惺忪的她會解開睡袍，把兒子抱到胸前。

我從走廊往她臥房望，看見林登設法使她保持清醒。他對她輕聲細語，拂去她臉上散亂的紅髮，而他的耳畔低語令她綻開笑顏。我覺得他倆是天造地設的一對，這麼天真無邪、受到庇蔽護，對彼此共同創造的小生命又是這麼滿足。或許雙胞胎的故事我不該再說了；或許他們最好忘了這座府邸外有更美好的事物。不會崩解的事物，比泳池的鯊魚和海豚、比林登展場上旋轉屋更具體的事物。他們的兒子最好永遠不要知道外頭別有一番天地，因為他永遠沒有機會看到。

西西莉轉身發現我站在門口。她招手要我進去，我卻退回走廊，假裝有事要到別處去做。我不想介入他們的婚姻。跟兩位姊妹妻共侍一夫並不複雜；嫁給林登對我們每個人來說有不同的意義。對珍娜而言，林登的府邸只是善終的豪宅。對西西莉而言，她的婚姻是某種「我愛你」跟生兒育女的夥伴關係。對我而言，這是一場騙局。只要我能切割這三段婚姻、忠於自己的計畫，就能比較容易脫身。比較容易說服自己我走了之後，他們都會過得很好。

很高興西西莉的情況好到可以下床了。我跟著她走進起居室，只見她手指滑過琴鍵、準備就緒，開始彈琴。樂聲喚醒宛如飄浮電視螢幕的全像投影。一片青青草原，罌粟花點綴其中，還有片飄著白色浮雲、如鵝卵石般的藍天。我確定這是某幅畫的複製品，我在書房的某本書裡看過，那位印象主義的畫家慢慢步入發瘋一途。

寶寶躺在地上仰著頭，幻象在他的臉上隱現。青草、罌粟花、和遠方的灌木隨著疾風東搖西擺，最後萬物成了蒙上一層灰白的五顏六色。神飛色舞。濕畫斑斑。

西西莉閉著雙眼，渾然忘我。音樂從她的指間流洩。我凝神望著她稚氣的臉、她微張的櫻桃小口、她稀疏的睫毛。她泰然自若地坐在琴鍵前，雖然歌曲的色彩搆不著她，幻象對她來說似乎也無關緊要。這間房裡最真實的東西非她莫屬。

她的兒子面露不知所措，在定點蠕動身軀，面對眼前的光輝燦爛不知該如何是好。他在成長的過程中會看到許多幻象。只要音樂一為他彈奏，他就能看到圖畫躍於眼前；除此之外，還能欣賞爸爸的旋轉房屋，也能潛入泳池，和成群的古比魚及大白鯊游泳。但我猜他永遠不會知道被海浪拍打腳踝的滋味、永遠沒有拋釣線或擁有自己家園的機會。

樂聲消逝；風靜下來；幻象縮得不見蹤影。

西西莉說：「希望我們可以有真的鋼琴。就連我以前待的破孤兒院都有真鋼琴。」

站在門口的珍娜滿嘴和滿口都是去殼的開心果；她說：「『真實』在這裡是個髒字。」

第二十一章

冬至早上，珍娜設法從一個在走廊點完薰香的侍從身上偷來打火機。她佯裝跟他打情罵俏，當她那疊「傷風敗俗」的羅曼史小說掉到地上，他自然義不容辭地幫忙撿，而她就順理成章地把打火機從他手裡奪走。他為她的笑容深深傾倒，居然沒發現打火機不見了。

「掰掰。」她巧笑倩兮地目送他離去；電梯門關上時，他的領帶還差點被門夾住。他一離開她的視線，勾魂懾魄的神情便立刻從她的灰眼褪逝，她又變回一個普通女孩。我在門口鼓掌喝采，她拉起裙襬行屈膝禮。

她流了點汗，好像剛才的調情耗盡力氣，但她還是像舉獎盃似地拿著打火機。

「妳準備拿打火機幹麼？」我問她。

「給我一根蠟燭，我要火燒起居室。」她就事論事地說。

「妳說什麼？」

「等林登、戶長和侍從聽見警報，就會衝來看，妳也能趁機溜到地下室啦。」

有鑑於我在迷你高爾夫球場與死神擦肩而過，珍娜表示火燒屋其實不算太誇張。但我請她稍安勿躁，等我戴上綠色隱形眼鏡再說。「或許這樣別人就認不得我了。」我說。侍從就算沒見過我本人，也聽過我的傳聞。萊茵。不抱怨的善良妻子，一雙眼與眾不同。

珍娜對我的機智刮目相看。「再找件生化危機服吧，這樣絕對沒人認得出妳。實驗室裡應該會有。」她說。

我沒跟她說冒險潛入任何一間黑暗的實驗室，光是用想的我都心驚膽戰。我只是點點頭，給她一根夜裡助眠用的薰衣草蠟燭。

她說：「妳待在這兒，等警報器一響，妳就隱形。」她對我綻露笑容，然後略帶跳躍的步伐離去。她火燒房子的念頭應該醞釀很久了。

幾秒鐘後火警鈴聲大作，天花板的燈不停閃爍。寶寶在廳堂彼端放聲尖叫，西西莉摀著耳朵狂奔，穿過走廊。電梯門開了，侍從們一擁而出；但直到電梯第二趟上樓，林登跟沃恩才現身。這時可見濃煙巨浪似地溢出起居室。沒有樓梯通往妻妾樓，所以我一直納悶萬一發生火災怎麼辦；但知道沃恩的為人後，我想他會讓林登的妻子葬生火窟，再找人取代我們。

逃跑對我而言易如反掌。當然光刷鑰匙卡無法一路通行地下室，所以我得按下緊急按鈕。不過在一團混亂中、警報器在耳畔尖嘯之下，按不按緊急按鈕都沒有分別。電梯門一開我就置身於無窗的地下室。這裡出奇平靜，看不出任何警報存在的跡象，天花板的燈也懶洋洋地忽明忽暗。

我這個綠眼無名氏沿著牆壁蹣跚而行，一面低聲呼喚蓋布利歐的名字，一面尋找生化危機服。我找到一整櫃的生化危機服，馬上拿一件套在身上。衣服裡有股刺鼻的塑膠味，好像穿了會慢慢窒息。我做深呼吸幾次，熱氣朦朧了面罩。感覺像是深陷夢魘、遭到活埋。

「蓋布利歐！」我的輕聲呼喚愈加急迫。希望他會撞見我，或是我拐過轉角就會看見他在擦地板或整理暴風雨補給品。就在我祈禱不用開門、不用開門、不用開門之際，聽見他的聲音。起碼我覺得是他的聲音。穿戴這玩意兒很難聽個仔細，畢竟自個兒的氣息都在有限的空間內被放大。

什麼東西碰到我的肩膀，把我嚇了一跳。「萊茵？」他把我身子一轉，結果是他沒錯。蓋布利歐。完好無缺。沒被施打麻醉擱在手術台上。沒有瘀青。也沒死。死。這個字猶如火災跟颶風警報在我腦袋顫動，我才發現這是我的終極恐懼。我奮不顧身地緊抱著他，中間隔了帽盔很礙事，但我不管那麼多了。我感覺他結實的胳臂環抱著我，其餘的我都不在乎。

他脫掉我的帽盔，自己氣息以外的聲音湧入耳中。他輕笑幾聲。帽盔落地。他捏了捏我，問我：「妳這是在幹麼？」

我對著他說：「我以為你死了，我以為你死了，我以為你死了。」

說出心底話的感覺真好，將這些心裡頭的包袱從肩上卸下。知道這些不是事實，也讓他聽見我親口道出自己的恐懼。他的手沿著我的脊椎向上撫摸，接著伸進頭髮，最後扶著我的頭。他穩穩地扶著我，就這樣過了好一會兒。

等我倆彼此分開，他撥去我眼前的頭髮，目不轉睛地望著我。「妳怎麼了？」他說。

「什麼意思？我很好啊。」

「妳的眼睛。」

「這是隱形眼鏡。萬一我撞見別人，可不想被認出來，還有，那你呢！」我憶起當前的處境驚呼道。「我好幾天沒見到你了！」

他手指壓在我的唇上要我安靜，然後把我領到一個陰森黑暗的房間。我最畏懼的地點之一。但有他陪我，我知道不會出事。他沒開燈，我能聞到冰冷的金屬味，聽見水滴在堅硬的表面。在一片漆黑中，我握著他的雙手，試著辨認他的輪廓。

他低聲說：「聽我說，妳不能下來這裡。戶長無所不知。他知道我們接過吻，也知道妳試圖逃跑。要是我們私會被他逮著，這裡我就待不下去了。」

「他會把你趕走？」

「不曉得。但我有預感會跟屍袋扯上關係。」

這倒是。我真傻。沒有人能活著離開這裡。事實上，人死了能否離開這裡我都存疑。需要更多屍體供沃恩解剖。珍娜是不是想向我警告這個？我幻想自己的眼珠被存放在罐子裡，置於沃恩其中一間醫療室，便噘起嘴阻擋一波作嘔浪潮。什麼鑰匙卡啦，把蓋布利歐關在地下室，又明知我會去這裡找他，這一切很可能都是沃恩設下的陷阱。他可能在某個轉角埋伏，等著把我關進其中一間暗室。這個想法使脈搏抵著我的太陽穴怦怦響，但蓋布利歐的出現壓過我的恐懼。要是我沒試圖找他，肯定沒法過得心安。

「怎麼會？他怎麼知道的？」我說。

「不曉得，但不能讓他發現我倆私會。萊茵，這很危險。」

「跟我一起逃吧。」我說。

「萊茵，聽我說，我們不能……」

「我已經找到出去的路了。」我邊說邊抓住他的手，拿它去碰掛在我脖子上的鑰匙卡。「林登讓我使用電梯，而且我已找到出路了。府邸土地周圍的樹林有問題，有些不是真的，而是投影的幻象。」

他靜默不語，在黑暗中人靜下來就如同消失，我一把抓住他的襯衫。「你還在嗎？」

「我在。」他說完又陷入沉默，我聆聽他的呼吸，聽見他張開雙唇，話閘子才剛開，我就知道，總之就有預感，他要用邏輯推翻我的看法。假如我想在有生之年離開這裡，就絕對不能這樣耗下去，於是我吻了他。

門已關上，在這與世隔離的黑暗中，我們好像根本不在地下室，而是置身於無垠的大海中，舉目所及不見大陸，也沒人會來抓我們。我們自由了。他的手伸進我的頭髮，抵著我的後腦杓，然後沿著我的背部遊移。生化危機服沙沙作響，有聲地記錄他的動作。

他三番兩次試圖抽離，冒出「可是」、「聽我說」、或「萊茵」，但每次都被我打斷，只好作罷。我用念力讓這一剎那成為永恆，用念力摘下我的婚戒，用念力使我們兩人自由。

直到最後我倆抽離對方，我感覺他和我貼著彼此的額頭。他說：「萊茵。太危險了。為了保護自己的兒子，戶長會無所不用其極。萬一妳逃跑被他逮到，他會殺人滅口，然後假造成一場意外。」

「就算是他也未必這麼心狠手辣。」我說。

「他這麼做我也不意外，兒子是他的全部。他之所以把妳們帶來這裡，只是為了在蘿絲小姐垂死的時候安慰他。別以為他不會毀了妳，而放任妳再次傷害他。」他說。

假如妳珍惜自己的生命，就不會再逃跑了。這是沃恩在我拙劣的逃亡嘗試後，對我說的話。但他也說過我比自己所了解的還要特別，林登要是失去我，一定會心靈受創。雖然沃恩在我心目中是個無惡不作的壞蛋，但他對兒子的關心我卻無法否認。無論他怎麼策劃意外，林登都不會接受我的死訊。要是我在沃恩的看管下有個什麼三長兩短，林登絕對不會原諒他的爸爸。

一陣內疚湧上心頭，我費了點勁才將它擊退。我不屬於林登。我不想傷害他，可是別無他法。

「不會有事的，反正我們不會被抓。就這麼簡單。」我說。

他笑了幾聲，但笑裡淨是懷疑。「哦，最好是啦。」

「我說過死也要把你拽走的，我說到做到，你還沒認清事實嗎？你被關在這裡久到漠視自己對自由的渴望。別再問自由世界有啥是在這裡得不到的，因為答案我只能帶你眼見為憑。你必須相信我。拜託你。信我就對了。」我說。

我可以聽見他的猶豫。他抓了我一綹頭髮繞著手指。他過了一會兒開口說：「我以為再也看不到妳了。」

「你現在也看不到我呀。」我說。我倆放鬆心情、輕笑幾聲。

「妳瘋了。」他說。

「聽說是這樣沒錯。這是不是表示我的計畫你至少願意一試？」

「萬一行不通呢？」他說。

「那我倆應該活不成了。」我說。我變得正經八百。

接著是冗長的沉默。他雙手摸到我的臉頰。然後是他柔和清晰的嗓音。「好吧。」

我們在黑暗中緊貼著彼此，低聲討論細節。每逢月底最後一個禮拜五晚上十點左右，他會把生化廢料帶到後門，扔進沃恩戶長叫來的垃圾車。他會目送車子離開，然後沿著它的路線穿過投影樹林，等我出現。我認為這個計畫很牢靠，但蓋布利歐一直問要怎麼出大門、萬一有保全人員怎麼辦，這些疑問我全置之不理。「我們會想到辦法的。」我說。

今晚林登要帶我進城參加冬至晚宴。「出門之後，我會記下路線，找一個逃走之後的安身之處。」

我們道別時，他對我說：「現在是十二月的最後一週，那麼大概要明年見了。」

我倆吻別之後，電梯門在兩人之間關上。

妻妾樓的火勢已被成功撲滅，只是我們得向我見過最醜的粉紅窗簾焦黑殘骸道別。我走進起居室，只見珍娜正在向沃恩戶長解釋：「……然後我看到燭火燒到窗簾上，我試著把它撲滅，怎知火勢一發不可收拾。」

林登輕拍她的肩膀，表示安慰。「這不是妳的錯。」他說。

「我們會換新窗簾，但或許沒人看著就不該點蠟燭。」不知怎地，沃恩竟直視著我。

西西莉把動不動就哭鬧的嬰兒抵在肩頭抱著，對我說：「妳的眼睛怎麼了？」

「我的眼睛？」我反問她。

珍娜輕彈自己眼底的皮膚，我才接收到她想傳遞的訊息。原來我還戴著綠色隱形眼鏡。

「我……只是想嘗試點新鮮的，本來要給大家一個驚喜。林登，我是為了今晚的派對。我試戴沒多久警報器就響了，然後大概忘記摘下來了。」我說。

不曉得沃恩信不信我這套說詞，但謝天謝地，寶寶開始放聲尖叫，分散眾人的注意力。西西莉怎麼哄，他還是哭鬧不休，於是沃恩從她懷裡接過寶寶。「乖哦乖，鮑文我的好寶寶。」他說道。這麼一哄止住了寶寶的哭聲。西西莉站在沃恩影子下，看起來想說些什麼，手懸在半空要抱兒子，但不知為何沒有行動。

「他大概餓了。」沃恩說。

「我來餵他。」西西莉說。

「好啦，親愛的，妳別費事，那是奶媽的工作。」他把她當小女孩般，輕彈她的鼻子。西西莉還來不及回話，他便抱著鮑文走了。只見乳汁從她小小的、腫起的乳房滲出上衣。

侍從們花了一個鐘頭才將我梳妝打扮完畢，準備參加冬至晚宴。找到蓋布利歐後，我如釋重負，也對我們的逃亡計畫興奮不已，所以不在乎她們對我的頭髮又拉又扯外加噴定型液，直到被香氣嗆得喘不過氣才表示抗議。她們好說歹說勸我別戴隱形眼鏡，我則故作傷心地摘下它們。「相信我，妳的雙眼會成為晚宴上的話題。」其中一位侍從說。

「假如有攝影機，更會是全場的焦點。」另一位夢幻地說。

攝影機。太好了。不曉得我哥收看冬至慶典電視轉播的機會有多大。今晚大概會有幾十部攝影機連線在新聞網播放實況。他通常不把這些宴會當一回事，但如果他在找我，或許就另當別論了？再給我一個月，我就能找到回家的路。我不免在內心深處擔憂，怕回家後迎接我的是空蕩蕩的房子，怕他離家去找我了，或傷心欲絕、往事歷歷在目不堪回首，索性搬走。這事我們司空見慣了。哪戶人家的姊妹和女兒被擄走後舉家搬走。而羅恩向來不是無動於衷、坐以待斃的那種人。

你等我，我試著用雙胞胎的心電感應向他傳遞思想。我很快就回家了。

一如往常沒有回應。

當狄德麗說她幫我準備了粉紅色的禮服，我半信半疑；但她將禮服攤在我面前的那一刻，巧奪天工的手藝又一如以往地令我驚豔。那是微光閃爍的輕柔粉紅，底緣仿照飄落的雪花。披巾上繡的珍珠閃閃發光。她為我畫上搭配的妝容時，說：「我敢說其他隨行的妻子都穿藍色或白色禮服，冬天嘛。妳應該會想顯眼一點。」

「太厲害了。」我說。她聽了眉開眼笑，拿一張摺好的面紙到我唇邊叫我抿一下嘴。

林登很高興我決定不戴綠色隱形眼鏡。

「戴起來滿詭異的。」站在門口的西西莉交疊雙臂地說。她頂著一頭亂髮，眼底鼓著兩個微紫的眼袋。她皮膚蒼白，布滿血管。「我還以為妳中風了咧。以後不要再戴了，可以嗎？」她回憶當時的情景，打了個寒顫，然後回到她房裡。

她走了之後我不禁皺眉。不到一年前，那個生氣蓬勃、插了翅膀的新娘幾乎已不復見。寶寶出生前沒多久她才剛過十四歲；不像珍娜低調過生日，她可是大張旗鼓地慶生。有隻糖霜做的跳躍獨角獸覆在大塊蛋糕上，她還勞師動眾叫侍從為她唱歌，林登又買了條她完全沒機會戴的鑽石項鍊送她。她只在家裡戴了一會兒，但從她生下鮑文後我就沒看她戴過。

「她好像很累，你有沒有幫她帶寶寶啊？」我對林登說。

他一邊說，也一邊微微蹙眉。我倆都壓低音量。「我只要一有機會就幫忙，要把他從我爸那裡搶過來也沒那麼簡單。好不容易當爺爺了，他興奮過頭啦。」他望著我，我一度以為他要吐露我早已得知的祕密，那就是他曾有個沒活成的寶寶。但他只是說：「妳看起來美呆了。」並勾起我的胳臂。

外面冰天凍地，但狄德麗的披巾使我肩膀暖和。林登半開玩笑地問我要不要開天窗，我只是緊挨著他，說關著就好。隔了層有色玻璃，夜色又已深，所以我看不清樹林幻象的確切位置。不過一進城，我就留意街景。我貼著玻璃，尋找我跟蓋布利歐脫逃後能指引我們方向的地標。

林登笑得燦爛。

「怎麼了？」我說。

「妳呀，瞧妳這麼興奮，樣子挺可愛的。」他將我一綹噴太多髮膠的鬈髮塞到耳後。

他的話令我大吃一驚。他誇我的同時，我滿腦子想的卻是怎麼逃離他的身邊、永不回頭。他吻我臉頰時，我頓感內疚，以微笑作為回報，然後繼續向外張望。

第一個要找的是電影院。應該無論從哪兒找都很好找著——入口的招牌如此顯眼，門口的霓虹燈招牌炫耀著二十四小時營業。再來有間店看起來像是海鮮店，擺設有鮮紅色的桌子和紙燈籠。然後我才想起這裡靠海，並趁車子拐過轉角時向海望去，看見遙遠海上的遊艇燈火通明。即使車窗關著，我也能聽見遊艇上的音樂。「在辦水上派對啊？」我說。

「大概是遊艇俱樂部吧。」林登邊說邊從我背後向外望。

「你搭過船嗎？」我問他。

「小時候搭過一次，但我年紀太小，沒印象了。我爸說當時我暈了好幾天的船，還說我生了什麼病。後來我就對水敬謝不敏。」他說。

「所以你從來不進泳池，也沒學游泳。」我說。他點點頭。我試著隱藏自己的恐懼。沃恩如此謹慎地掌控他的兒子，就連泳池裡真實海洋的幻象也不讓他享受。我懷疑暈船的故事根本是他在瞎扯。事實上，林登幼時多病以及所謂的身子孱弱似乎是沃恩捏造出來、不讓兒子太野的謊言。我把手搭在林登膝上說：「等天氣轉暖，我教你游泳。很簡單的，學會之後就算想沉進水裡也難。」

他說：「那好。」

可是語畢我才想到：等天氣回溫，我將已遠離此地。我趁海水消失之前再看它最後一眼。海浪捲過遊艇和燈火，沒入深夜、隱入永恆。只有這裡林登沒法跟我去。而蓋布利歐說他喜愛船，不曉得他對船懂多少，會不會駕船帶我們逃走。

晚宴在一棟聳入雲霄的摩天大樓舉辦。舞池中的鞋印在霓虹燈下逗留個幾秒才消逝。懸在半空的垂冰反射五顏六色的燈光，地板是投影的雪地幻象。狄德麗說得對，其他隨行的妻子都穿藍色或白色的禮服。

我們在門口徘徊時，林登看起來有點拘謹。「參加慶典的人當中有你認識的人嗎？」我問道。

「認識幾個我爸的同事。」他說。

閃光燈使他的影子在虹彩中跳躍。我想起蘿絲曾說他雖然舞技一流，在派對上卻老當壁花。他看樣子像是暈船了。我決定等放了慢歌再邀他共舞，不讓他這麼為難。

我們站在自助餐桌旁，淺嚐菲力牛排、美味的湯，還有各式各樣的酥皮點心，種類繁多，我上回看到陣容這麼完整的點心是在曼哈頓上班中途會經過的烘焙坊。我提議帶點閃電泡芙回家給西西莉，因為她無法抗拒任何包巧克力糖衣的食物。

播放慢歌時，我把林登拉進舞池，儘管一開始他感到迷惘，但不用多久他就把我們周圍的人拋諸腦後。我這輩子一天都沒跳過舞，但即使我足蹬恨天高，他仍能完美無瑕地領舞。就在我倆轉圈、翩然起舞、以及我在他懷裡一個下腰再起身的同時，一部攝影機轉到面前。我盡量讓它取到最好的角度拍我雙眼。

我們繼續在這兒混了一會兒，晚宴上想吻我手的男士較少，因為他們胳臂都圈著愛妻。這裡的妻子也比較可親，有第一代的人妻和年輕人妻交談，而我加入她們加州東部稀有鳥類的話題。我雖沒啥貢獻，但總比被別群妻子問老公把我肚子搞大了沒來得舒坦。

我看見林登到房間彼端，加入一群男人的對話；他三不五時與我四目相交，剛又依稀向我揮手。他應該是以我為榜樣。

「妳先生是不是林登．艾許比？」其中一個年輕人妻湊近問我。

「是。」我說。不知怎地，承認自己是他的妻子似乎變得愈來愈自然。

「先前聽到蘿絲的死訊，我非常傷心。她是我的朋友。」她把敞開的手貼在心頭。

「她也是我朋友。」我說。房間彼端的林登好像聽到什麼趣聞，居然笑了起來。

「不過他看起來恢復得很好。」年輕人妻說，她稚氣的笑容使我想起生寶寶前的西西莉。

「我很高興他再次敞開心胸。我們——我丈夫跟林登的爸爸是醫院裡的同事——先前都聽說蘿絲生病，後來再也沒在派對上見過林登。」

「那段時期他很難熬，不過現在好多了。」我說。

「妳一定有魔法。」她說。

依舊為某個神祕笑話傻笑不止的林登挽起我的胳臂，把我介紹給他爸的朋友、他們的妻子，和他剛認識的一些人。我從沒見過他這樣。這麼開心。這麼……自由。

我們凌晨回家。他在晚宴上喝了幾杯酒，所以搭電梯時倚在我身上，他準備上妻妾樓看看鮑文，他的嬰兒床在西西莉房裡。他們討論要在另一層樓建嬰兒房，這儼然成為西西莉跟沃恩關係緊繃的關鍵。她不願跟兒子分開，但沃恩覺得房間這麼多，不用很可惜。蘿絲的房門在走廊盡頭緊閉，但就連西西莉也不敢提議把它改建成嬰兒房。

我把特地為西西莉帶回家的一盒閃電泡芙遞給林登。他目不轉睛地望了我許久，說：「妳真體貼。」在我臉上輕吻一下就轉進她的臥房。

我在浴室卸妝、就著洗臉槽洗髮、再換上睡袍，但很快就發現我無法成眠。我的骨頭仍想跳舞，我心裡充滿了燈光、音樂，和對海水的思潮。倘若我真如林登所相信的是個孤女，倘若我的確在新娘學校度過童年，過這種少奶奶的生活應是求之不得。我懂女孩是怎麼在優渥生活中迷失自我了。

本想呼叫狄德麗，要她幫我按摩僵硬的腳踝、或放一盆甘菊香氛的洗澡水（她獨樹一幟的技巧我無法複製），只是我想起時辰已晚，於是打消這個念頭，反而敲珍娜的房門。她迷迷糊糊的，我問她能否同睡，在黑暗中只能辨出她點了個頭。

「有沒有幫我向自由打招呼呀？」我雙臂圈著一顆枕頭，她一邊問我，一邊幫我把被子裹緊。

我將垂冰、雪地幻象、和珍饈佳饌向她娓娓道來。「吃了脆巧草莓，我死都無怨無悔，那裡有座巧克力沸騰冒泡的巨型噴泉，真希望妳能親臨現場。」我心醉神迷地說。

「好像很棒。」她說。她嗓音有點緊繃，接著咳了幾聲。今天稍早她也在咳，而且過去這幾天她的臉色略顯蒼白。我朝她那頭挪，伸手摸她額頭；只是我也小酌了幾口，所以不能確定她是否發燒。

「妳還好嗎？」我問她。

「只是有點累，有點充血。天氣的關係。」她又開始咳，好像有什麼溫溫的東西落在我臉頰上。我頓覺熱血轉寒。

「珍娜？」我叫她。

「怎樣？」

我想待在這裡，待在黑暗中，不要朝通往新的恐懼的方向前進。我想一覺到天亮，睡醒之後發現一切美好。

可是我沒這麼做。我伸手轉開電燈。珍娜又咳了幾聲，我看到濺在她唇上的鮮血。

第二十二章

寶寶還是狂哭不止，小臉漲得通紅。縱使斗大的淚珠滾落臉龐，西西莉仍舊把他抱在肩頭不停踱步、低聲哄他。

沃恩正在幫珍娜看病，摸她下巴的兩側，用薄如紙的殘忍手指壓著她的舌頭，以便檢查她的喉嚨。看得出來她憎惡他在附近，而且整個人又是如此憔悴。

林登接過寶寶，有幾秒他咯咯作聲，接著又是聲嘶力竭地尖叫。我拿手掌跟部猛揉太陽穴，說：「能不能行行好，把他抱走？」

這是沃恩第三次問珍娜幾歲。這也是珍娜第三次回答她十九歲，而且沒錯，她很篤定。

林登把尖叫的寶寶抱出房，但我們仍能聽見他的哭鬧。

「怎麼了?怎麼回事?」西西莉說。

「是病毒。」沃恩說。我猜他大概想裝出痛悔的口吻，可是眼前只見一條卡通巨蛇輕彈他的舌頭。珍娜的生命對他而言一文不值。

「不。」有人這麼說。後來我才發現開口的人是我自己。西西莉碰我胳臂，但我用力將她甩開。「這說不通啊。不可能的。」

珍娜閉著眼。她甚至無法保持清醒，聆聽自己不久人世的噩耗。她怎麼可能這麼快就病倒了？

「但你能治好她，對不對？你不是在研究解藥？」西西莉說。淚水沾濕她的衣襟。

「恐怕還沒那麼快，但或許我們可以延長她的壽命，直到解藥問世。」他輕拍西西莉的鼻子，但她再也不覺得他的偏愛有啥可愛之處。只見她倒退一步，搖了搖頭。

「那你到底在做什麼鬼研究？都這麼久了。這麼久你一直在地下室瞎忙！」她嘴唇顫抖，呼吸濕答答的。她以為沃恩長時間埋首地下室研究解藥，很快就能拯救大家了。但願我也相信他的天方夜譚。

「別這樣，親愛的……」

「不。不，你快想辦法，現在就想辦法。」

他倆陷入低聲爭執，聲音轉呀轉的，她的啜泣有如波浪在我身邊濺灑，我受不了了。我希望沃恩跟他的小寵兒走開。我爬上珍娜的床，從她唇上拭去一點血跡。她已開始失去意識。「求求妳。」我朝她耳畔低語。我不知道自己在求什麼。也不知道我希望她怎樣。

謝天謝地，沃恩走了；西西莉爬上床加入我倆。她戲劇性的哭聲撼搖床墊，我厲聲兇她：「她在睡覺。不要把她吵醒。」

「對不起。」她低聲下氣地說，把頭靠在我肩上，之後一點聲音也沒。

珍娜墜入旁人無法觸及的沉睡，我跟西西莉則在各自的夢魘時載浮載沉。我聽見身旁的西西莉夢醒犯嘀咕，卻又碰不著這兩位姊妹妻。我在樹林裡不停狂奔，舉目所及也怎麼也看不見鐵門。有時候我溺水，海浪不斷將我旋轉，最後我已分不清東西南北。

我氣喘吁吁地驚醒。我脖子上的水氣源自於西西莉，她緊挨著我，冒汗、哭泣、又流口水。她眉頭緊蹙，蠕動嘴唇想說些什麼。

走廊彼端的寶寶哭鬧不休，西西莉上衣沾著母乳卻又不能餵她的兒子。沃恩雇了一位奶媽，說什麼這樣有益西西莉未來的健康，問題是她總是看起來痛苦不已。我的姊妹妻猶如我媽種的百合花正在凋零，我卻不知該怎麼讓她們重現生機。我不知該如何是好。

珍娜睜開眼打量我，聲音沙啞地說：「妳看起來好糟，什麼怪味？」

「母乳。」我說。

我的音調把西西莉吵醒。她被自己的唾液嗆到，抱怨不喜歡聽某種音樂。然後她兩眼一張，顯示清醒，並坐起身子。「怎麼了？妳好點了沒？」

寶寶持續哭號，西西莉望向門口。「我得去餵奶。」她說著說著就蹣跚而行，出去前還撞上門框。

「她有點不對勁。」珍娜說。

「妳現在才發現嗎？」我說，語畢兩人都輕笑幾聲。

珍娜設法坐起身，我好言相勸哄她喝點水，不過我覺得她是為了讓我心安才喝的。她臉色發白，嘴唇微微泛紫。我試著拿她和蘿絲相比，後者情況好的時候還能佯裝健康。我憶起六月豆將她的嘴唇染成滑稽至極的顏色，不知那是否是她隱瞞病情的其中一招；也想起她總是塗上腮紅的臉。我想起她有多討厭服藥，又是怎麼求大家讓她自生自滅。

「妳是不是很難過？」我問道。

「我的手腳沒什麼知覺。」珍娜笑了幾聲，「所以我猜我終究會比妳們早走一步。」

「請妳別說這種話。」我為她撥去前額的頭髮。

「我夢見我跟我的姊妹被關在那輛廂形車。可是後來有人開門，我再往她們那頭望，卻只見妳跟西西莉。萊茵，我好像漸漸忘了她們的長相、她們的聲音。」她說。

「我也忘記我哥的聲音了。」話脫口而出，我才發現自己露餡了。

「可是妳忘不了他的長相。因為你們是雙胞胎。」

「妳早猜到了，對吧？」

「妳的雙胞胎故事太過逼真，不可能是編的。」她說。

「但我們不是同卵雙胞胎，妳知道的，性別不同就不可能長得一模一樣。我的確有點忘了他長得什麼樣。」我說。

「妳會跟他重逢的。」她語氣篤定地說。「妳還沒說之前有沒有成功進地下室。」

我點點頭、吸鼻涕，假裝只是在咳嗽。「我們都計畫好了，預計下個月走。不過也許我可以多留一下。」

「我可不是平白無故放火燒窗簾的。你們要逃離這裡，外面的世界一定很棒。」

「跟我們一起走。」我說。

「萊茵……」

「妳討厭這裡啊。難道妳真想在這張床上度過餘生？」我不知自己覺得自由對她有何幫助。好比說她能看到海、我們能自由自在地欣賞日出、我們會將她海葬。

「萊茵，妳還沒逃走我就不在了。」

「不要說這種話！」

我把額頭抵著她的肩膀，她用手指輕梳我的頭髮。淚水準備奪眶而出，但我強忍下來。硬是憋著導致嘴唇顫抖。我想為她保持堅強，可是她輕易就察覺我的憂傷。「沒關係，沒事的。」她說。

「妳真是瘋了才說這種話。」

她邊說邊抽離身子，讓我能抬頭看她。「不，想想妳終於和心願靠得多近。」

「那妳呢？」我反問她的音量比預期的大。顫抖已蔓延至我的雙手，於是我抓緊被子。

她面露笑容。那是種怡然自得的美麗笑容。「我也會達成我的心願。」她說。

接下來的幾天，林登開始陪伴珍娜。但這不像我試圖逃跑後、或西西莉產前期間的陪伴。珍娜從沒在情感層次上確立自己為他的妻子。他會坐在椅子或沙發床上，從不與她同床而坐，也不碰她。我不曉得這對貌合神離、而且彼此根本不熟的夫妻會談些什麼，但我不由自主地想像他們如醫院裡可見的病患及家屬在討論臨終義務。彷彿他在許諾她的遺願，彷彿想在她逝世前做個什麼了結。

「妳知道珍娜有姊妹嗎？」他在吃晚餐時問我。餐桌前只有我倆。西西莉逮著千載難逢的機會睡一會兒，沃恩大概在地下室研究他的奇蹟解藥。

「知道。」我說。

「可是她說她們死了，死於什麼意外。」他說。

我試著進食，但連咀嚼都變得困難。食物吞進喉嚨，落入空洞的坑。我食之無味。我不懂珍娜既然這麼忿恨難平，為何不告訴林登她姊妹真正的死因。或許沒必要為此費力傷神。或許對他隱瞞事實是她憎恨的終極方式。她將香消玉殞，而他對她一點都不了解。

林登邊說邊拿餐巾輕拭嘴唇，「我從沒真正了解過她，但我知道妳之前多喜歡她。」

我問他：「之前？我還是很喜歡她啊。她還沒走。」

「妳說得是。對不起。」

接下來這頓飯我們再無交談，但對我來說，就連餐具觸碰盤子的聲音都是一種折磨。他無知到惱人的境界。我敢說等我逃跑之後，沃恩會對他謊報我的死訊，給他假骨灰撒。然後他就會和西西莉過著兩人世界，而那正是她打從一開始就想過的生活，也八成會再生個半打嬰兒填補兩人生命的空缺。之後他們將與世長辭，而沃恩會輕而易舉地取代他們，誰叫他是第一代的，天曉得他會活多久。我們一旦撒手人寰，臥房就會填滿新的女孩。

林登與西西莉。他倆如此與世隔絕，不知自己錯過什麼。這樣最好。他們會揮別我和珍娜，將我倆深埋某個心底的黑暗角落，然後繼續過他們的風燭殘年。他們會在投影與幻象中覓得幸福。

不曉得如果換了時空，他們會是怎樣的人。

侍從收走我們的餐盤，林登見我吃這麼少不禁皺眉。「這樣妳會生病的。」

「我只是累了，先去睡覺好了。」我說。

到了樓上，西西莉的房門是開的；我可以聽見鮑文輕聲地咯咯叫，用那節奏規律、粗嘎的新生兒方式呼吸。燈是關著的，也許西西莉還在睡，但躺在搖籃裡的他已醒了。這個慣例我很熟悉。他小睡片刻醒來無人照顧，便無可避免地號啕大哭，而且一發不可收拾。

我本來預計睡一會兒，但還是趁鮑文吵醒姊妹妻前把他從搖籃抱走。可是當我踏進臥房，竟發現珍娜坐在床邊，走廊透進的一道光將她照亮。她的長髮如瀑布從一邊肩膀湍流而下，歪著腦袋俯望懷中的寶寶。西西莉靜悄悄地在她背後的被子底下安睡。

「珍娜？」我低聲呼喚她。她沒有抬頭，只是微笑。

「他長得像我們的丈夫，不過從他的脾氣判斷，他以後應該會像西西莉。可惜我們沒人能看他長大。」她輕聲說。

她這樣好美。黑暗隱藏了她蒼白的膚色和發紫的嘴唇。她的睡袍是層層蕾絲，秀髮是則是完美的暗色帷幔。我沉痛地發現她看上去都可以當別人的媽了。熟練溫柔地給予關懷，靈巧的纖纖玉指拂掠鮑文半月型的臉龐。不知在她姊妹遭人殺害前，她是不是像照顧西西莉和照顧我這樣對待她們。

我發誓我剛看見一滴淚珠滾落她的眼角，但她趁它沒跑太遠就抹掉了。

「妳現在感覺怎樣？」我問道。

「很好。」她說。我強迫自己相信她。此刻的她看起來好強壯、好年輕。「喏，幫我抱他一下好嗎？」她起身走向我時，只見她的膝蓋在發抖。等她走近，走廊的燈照出她臉上的汗珠和眼底帶藍色的黑眼圈。

我讓她又輕又緩地把寶寶放進我懷裡，然後她鬼影般地跟著我走，飄過她和昏頭侍從打情罵俏之處，她走過那裡百來遍了，每次都是埋首羅曼史小說走回自己的臥房。

她手拂掠牆壁走回臥房，隨後關上房門。沒過多久我便聽見她一陣亂咳。珍娜離開後，鮑文也毫不膽怯地入睡。我好忌妒他這麼滿足。也忌妒他還有二十五年可活。

稍後我緊閉自己的臥室房門、關掉電燈，把臉埋進枕頭不停尖叫，直到手腳跟珍娜一樣失去知覺。接著，我沉默下來。羅恩、我的爸媽、蘿絲、曼哈頓海港。它們是我心之所繫、心之所愛，也是被我拋下或任之溜過指間的人事物。我想要媽媽過來吻我，和我道晚安。我想要爸爸彈琴。我想要哥哥在我睡覺時守夜，讓我暢飲伏特加止痛。我好想他哦。長久以來我都不允許自己真正地想念他，可是現在思潮泛濫、不能自已，而且一發不可收拾。再加上我如此疲憊迷惘，又不知到底能不能逃得了，不知有沒有辦法打開尖頭花的鐵門。我拿蓋布利歐的手帕拭淚，這些日子以來我一直將它藏在枕頭套裡。我在黑暗中撫摸刺繡，一直哭到喉嚨痛，我只希望回得了家，這是我微乎其微的心願。

我夢見自己被放逐大海，夢見自己溺水，只是這一次我沒有揮舞雙臂或死命掙扎。我聽天由命。過了一會兒，我可以在寂靜的水中聽見爸爸演奏的樂聲，還不算太糟。

到了早上，西西莉淚眼汪汪地叫醒我。「珍娜張不開眼了，她高燒不退。」她說。

西西莉講話向來誇張，但我半睡半醒、步履蹣跚地走進珍娜臥房時，才發現情況比她形容得還嚴重。珍娜的膚色變得慘白不說，還呈現恐怖的黃色。瘀青在她的喉頭和胳臂蔓延。不，那不是瘀青，更像是化膿的傷口。我摸摸她的額頭，她沙啞地叫了一聲，令人不忍。

「珍娜？」我輕聲呼喚。

西西莉來回踱步、拳頭時縮時放，「我去叫沃恩戶長來。」

「不必了，去浴室拿塊濕布來。」我爬上床墊，讓珍娜的頭靠在我大腿上。

「可是……」

「他能幫她做的，我們自個兒都能做到。」我強裝鎮定地說。

西西莉聽話照辦，我聽見她邊啜泣邊開水龍頭；不過等拿濕布回來時，她已保持鎮靜。她掀開被子，解開珍娜睡袍的前幾顆鈕釦，幫她高燒降溫。整個過程中我可以看出她在努力按捺充斥雙眼的恐慌。我的眼神是否也如此驚恐？我坐在這裡，冷靜地用手梳珍娜的頭髮，私底下卻是心驚膽戰又反胃。依我親眼所見，這比蘿絲的病情要嚴重百倍。嚴重千倍、萬倍。

幾個鐘頭過了，我覺得這將是我姊妹妻人生的盡頭。她再也不會睜眼。縱使我沒料到事情來得這麼快。

西西莉雙臂圈著我，把臉埋進我的脖子。但我沒有話可以安慰她，光是維持呼吸就耗盡我所有的力氣。

「我們該去把沃恩戶長找來。」這話她說了不知第三還是第四遍。

我搖搖頭，「她恨他。」

沒想到珍娜竟然笑了。「對。」她說。聲音雖然微弱含糊，卻足以吸引我和西西莉的注意；我倆看見她發紫嘴唇泛起的微笑。她睫毛顫了幾下，隨後睜開雙眼。她的眼睛不若以往充滿活力光采，變得詭異疏離。不過雙眸尚有生氣，她還沒離開我們。

「嗨，妳覺得怎麼樣？」西西莉輕柔地說；她跪在床畔，雙手握著珍娜的手。

「好極了。」珍娜說完便翻了個白眼，把眼闔上。

「需不需要什麼？我們幫妳拿。」我說。

「光之隧道。」她說。我猜她只是想要假笑。

「別說這種話，拜託不要。我可以唸書給妳聽呀。我現在進步很多了。」西西莉說。

珍娜眼睛睜得夠久，看西西莉翻閱床頭桌上眾書的其中一本，然後又笑了笑；這笑聲跟以前比，更聽在耳裡，痛在心裡。「西西莉，那本不太適合唸給臨終的人聽。」

我承受不住了。我望著珍娜，但眼前只看見扼殺她的玩意兒。那聲音聽起來根本不像她的。

「不管了，反正我還是要唸。中間夾了書籤，那我就從那兒唸起。妳至少也該知道結局。」西西莉說。

「那就跳到最後一頁吧，我時間不多了。」珍娜說。然後她胸口抽搐，口中濺出鮮血和嘔吐物。我幫她翻到側身揉背，她則使勁想把東西全咳出來。西西莉畏縮不前、淚水盈眶。我不知西西莉哪裡來的力氣大哭。我幾乎連移動的力氣都使不上來，光是活著就夠費力了，我只想鑽進被窩昏睡。看來我連走路都提不起勁了。

爸媽去世之後我睡了好幾天。好幾週。直到我哥受不了為止。他說：起床。他們死了。**我們還活著，還有事要做。**

珍娜哽咽、喘氣。透過她的睡袍，我可以看見她的脊椎凹痕。她什麼時候變得這麼瘦的？不斷咳嗽和嘔吐，她幾近了無生氣。她翻身仰臥、兩眼緊閉，除了急促不穩的呼吸，整個人毫無動靜。就連我跟西西莉把弄髒的床單從她身子底下抽掉，她也還是動也不動。

整個早上她都在昏睡，只有我跟西西莉為她換玷污的睡袍、拿濕布替她擦身子，才氣若游絲地咕噥幾聲。她的皮膚處處瘀青，半透明且布滿血管，我實在不太願意碰她。有些瘀傷已開始滲血，好像她從體內向外腐爛。她的頭髮變得稀疏；一次脫落好幾綹的髮絲。我將落髮掃走。西西莉高聲朗讀羅曼史小說，書裡寫的淨是健康的年輕愛侶和夏日之吻。她時而停頓，清清鬱積喉嚨的哽咽。侍從送藥來，但自從珍娜證實她虛弱到無法吞嚥藥丸，人家餵什麼就吐什麼，我們便把侍從打發走了。珍娜的病情嚴重到迷迷糊糊、幾乎無法說話，只要聽到有腳步聲靠近，就把臉埋進我或西西莉的睡袍。我知道她想傳遞什麼訊息。蘿絲乞求的也是同一件事。她不想再苟延殘喘了。

不過阿戴爾來的時候，她沒有掙扎，所以我們讓他進門。他在她胸口擦藥膏，使她呼吸順暢。做完事了他也沒久留。以往他總是癡心稱讚珍娜的美貌，也明白她不願任何人目睹她這麼醜陋地死去。

接近傍晚時分，林登的關懷才多到足以探視我們。他一跨過門檻就臉色大變。他聞得到腐爛、汗水和血水的濃濃臭味。從他的眼神，我知道這場景他很熟悉，蘿絲臨終的那幾天他都隨侍在側。不過他沒有接近這位妻子。我知道珍娜和林登向來情感疏離，他們的婚姻純粹只有性關係；但我也懷疑林登是否也該負起部分責任。失去蘿絲之後，只要是無法活得比他久的女人，他都不願去愛。我可活的歲數跟他一樣多，西西莉則會活得比我們久。不過珍娜就……

林登站在那裡，看來非常悽慘內疚。他的三位妻子在沒鋪床單的床上蜷成一團，其中一位朝不保夕；我們合而為一，形成一種他無法觸碰的聯盟。他甚至怕到不敢嘗試。

「是不是我忘了餵飽文？」西西莉望見林登懷裡的兒子，向他問道。

「親愛的，不要緊，奶媽會餵他。我比較擔心妳。」林登說。

我無法想像林登把兒子帶來這裡的動機，除非他感到孤單，希望能把寶寶當誘餌，教西西莉多陪陪他。這招沒效。西西莉把臉抵著珍娜的胳臂，閉上雙眼。我也閉起眼。彷彿我們又回到採花賊的廂型車、縮進黑暗、渴望在彼此身上覓得避風港，就此消失。

「聽說妳們把侍從打發走了，起碼讓我派人上來換床單嘛。」林登說。

「不了，別派人上來。不要讓人打擾她。」西西莉咕噥道。

「難道沒有我能做的嗎？」他問道。

「不用了。」我說。

「不用了。」西西莉附和道。

我感覺丈夫站在門口，妻妾的緊密關係使他退避三舍，好像一位妻子垂死意味著三位一同命喪黃泉。

最後他不發一語地離去。

珍娜含糊地說了個字，但我聽不懂。好像是個人名。她大概在找她的姊妹。

「妳們待在這裡不安全。」她說。不曉得她是對親生姊妹說，還是對我們說。

第二十三章

珍娜說得對。她比我早走一步。我們在一月一日天還沒破曉的清晨失去她。她臨終時身旁只有我跟西西莉，在她床上生活的那幾天，我們到頭來能做的，只有趁她眨眼皮的時候和她小聊一下。我們要她知道她並不孤單。跟她當了好幾個月的姊妹妻，照理說我該想出什麼有意義的話對她講，但在目睹她步入冥府的最後關頭，我卻只提得起勇氣和她聊天氣。

如今她走了。眼睛雖睜著，卻蒙上更深的一層灰。空洞。像是被拔掉插頭的機器。我用拇指和食指幫她闔眼，然後吻了一下她的額頭。她身子還是熱的，看起來好像正要吸氣。

西西莉起身踱步。她撫摸珍娜的前額和胸口。「我不懂，來得太快了。」她說。

我想起蘿絲死時她有多開心，多快就確認自己為林登懷孕的意願。他們已經討論要生更多小孩了。

「沃恩戶長應該要延長……」

「不要提他的名字。」我厲聲喝斥，只是不曉得自己怎會這麼氣她。珍娜病倒後，我一見到她就受不了，卻又不知為何對她反感。可是現在不是追究問題的時候。

我把珍娜的長髮塞到她耳後，試著揣摩她的寧靜。她像一尊蠟像，但一分鐘前還是人。西西莉爬上珍娜的床，把臉抵著她的脖子，呼喚她的名字。珍娜、珍娜、珍娜。一直呼喚，好像這樣會有什麼幫助。

沒過多久，沃恩就來檢查珍娜的重要器官。他甚至不用靠近床鋪，光從西西莉的淚水、和我遙望窗外的眼神，就知道我們的姊妹妻走了。他口頭上表示遺憾，但其實昨夜探望她的時候，就知道她將不久人世。

侍從們推著輪床準備把珍娜的遺體抬走，但西西莉仍舊依依不捨。只是她幾近發狂，當人們從她手中拽走珍娜的手，她也無力反抗。「妳要勇敢。」是西西莉唯一說的話。

不久後我就聽見她的琴聲。她在起居室，以D小調滿腔怒火地彈奏巴哈的曲目。琴鍵宛若死神的腳步，重重踏過走廊。

我躺在臥室地板上聽琴聲，喪親之痛讓我連躺回床上的力氣都沒有。我幻想這偉大的音樂從西西莉小小的身體傾瀉而出，紅的和黑的音符在她周圍盤旋，好似一個黑暗精靈從沉睡中甦醒。我等她樂聲止息，等她淚眼汪汪地出現在我門口，問能不能在我身邊躺一會兒，就像她每次生氣向我尋求慰藉那樣。

可是她沒有進來。我的門口只是充滿她怨憤無畏的歌曲。它彷彿在說：*妳要勇敢。*

我想要離開這裡。現在就想一走了之。府邸我待不下去了，天曉得沃恩對我姊妹妻的屍體動了什麼手腳，其他人卻得若無其事地享用晚餐和飲茶。西西莉好像把鮑文當作她的布娃娃，抱著他到處轉，母子倆都哭得滿臉通紅。他是這世上最不知足的寶寶，或許這表示他直覺很準。

幾小時後沃恩拿骨灰給我們撒，但西西莉緊抱骨灰罈不放，問能不能把珍娜的骨灰放在她房裡的架上，說這樣她心裡會比較舒坦。我表面說無所謂，私底下卻怨恨她的無知。

當晚我躺在床上，聽見輕柔的敲門聲，可是沒有應門。一來我不想見任何人，但主因是我離地球十萬八千里。我好像已在黑暗中躺了一輩子，聆聽占有我血肉之軀的女孩在遠方啜泣。

等我回過神，才發現自己的哭號恐怖且不像人所發出的。

房門開了，光亮溢滿臥房，我像囚困廂型車那樣蜷著身子避光。一下子我感到身子好沉、喉嚨嘶吼得有多疼。我的視線模糊濕潤。

「萊茵？」林登在呼喚我。他的聲音好陌生。我不想見他，試圖叫他走開，可是張口說的話全都含糊不清。他坐在床畔揉我的背。我試著甩開他，卻沒有力氣。

「寶貝，妳嚇著我了。我從沒見過妳這樣。」

沒錯。我是萊茵，受訓成為他新娘的孤兒、歡天喜地地待在這裡。或許在他心中我應該高興才對，畢竟死了個姊妹妻意味著他可以分更多時間給我。不過一直以來我扮演姊妹妻就比當真正的妻子盡職。我無法想像獨自一人嫁給他會是怎樣的生活。

「我能怎麼幫妳？」他跪在床邊，撥掉我臉龐上的亂髮。我淚眼婆娑地凝望他，暗自答道：放我自由。送我回到去年。把珍娜的姊妹還給她。

我只是搖頭，用拳頭掩面；但他撥開我的手，我也不再掙扎。

「新年到了，明晚有個派對。想不想去？」他輕聲說。

「不想。」我哽咽地說。

「錯了，妳會喜歡的。狄德麗已費盡心思幫妳設計禮服，就連阿戴爾也在幫她。」他說。

阿戴爾。珍娜走了之後他怎麼辦？以前他服侍她，而且服侍的對象也只有她。不過沒啥好忙的，因為珍娜是如此知足，鮮少有理由穿新衣。也許過來幫忙縫製禮服，他才覺得自己有用。我總不能當著阿戴爾的面回絕他的美意。我嚥下喉嚨的哽咽欲泣，點頭答應。

「乖，這樣好多了。」林登說。但我從他眼裡看出他知道我多難過，或許跟他失去蘿絲時同樣難過。她走的時候，他不但扔東西，還吼著要我們全都滾開。難道他不明白現在我也想要獨處？

但他就是沒有這種覺察。「過來。」他輕聲細語，掀開被子，爬上我的床。當他把我摟入懷中，我不知這是為了安慰我還是安慰他。但我倒進他懷裡，再次淪陷淚海。我試圖飄進外太空，暫時從這個悲慘世界消失，無奈整晚我都被牢牢鎖在他纖弱的骨架，就連我在不得安寧的夢中時睡時醒，也能感覺他的存在，他用比我想像中他所具備更大的力氣摟抱我。

果不其然，隔天下午狄德麗和阿戴爾便帶著一件絕世華服，趾高氣昂地走進我的房間。在曼哈頓沒多少理由參加新年慶典。那種場合多半只留給家境富裕又長壽的第一代慶祝；同時也提供孤兒一個大好機會，闖入高級住宅區無人看管的民宅。新年的頭幾天我跟羅恩會加強保全、確定手槍子彈上膛。這也是採花賊作亂的顛峰時期。公園裡淨是酒醉的、喪母的妙齡美女在跳舞和賣煙火。羅恩甚至不准我離家工作，這太危險了。

羅恩。我好擔心他，不知他待在家裡，只有老鼠幫忙守夜，一個人過得怎樣。

第一代的佣人幫我洗淨擦亮全身，接下來由狄德麗為我上妝，同時阿戴爾也替我上髮捲。他們總為我設計髮髮造型。「這樣能把妳的眼睛襯托得晶亮有神。」阿戴爾語帶夢幻地說。狄德麗為我上紅色唇膏，並叫我抿唇。

西西莉進來好一會兒，坐在沙發床上看僕人替我梳妝打扮。沃恩把鮑文帶到某處，以發明解藥之名給他抽血、驗ＤＮＡ、或在那可憐的孩子身上動別的手腳；少了寶寶要照顧，西西莉看來悵然若失。這幾個月以來，我看著她從咯咯傻笑的小新娘蛻變為大腹便便的孕婦，我怎麼也想不到她會是當媽的料。而轉瞬間她好像除了為人母，其他啥也不會了。

「幫她化妝。你不覺得她配紫色系很好看嗎？」我對阿戴爾說，他正忙著檢查我已完美無瑕的禮服。我不曉得自己在說什麼，只是受不了看見西西莉愁容滿面。

狄德麗一邊驚呼一邊幫我把假的滿天星別在髮夾上。「大地色才對，配她的髮色和眼珠色？但妳的話不用說也知道該搭褐色和綠色。」她對鏡中我的眨眼。

我在躺椅上為西西莉挪了個空間；我倆背靠著背，由貼身佣人打扮得明豔動人。西西莉恐嚇阿戴爾，倘若他手裡的睫毛膏戳到她眼睛，她就要他好看，直到發現他很有一套才稍微放鬆。感覺挺不賴的，好像我們真的是姊妹，好像沒有早逝的陰霾將我們籠罩。

「妳猜晚宴會是什麼場面？」西西莉邊問我，邊朝阿戴爾伸手遞的面紙抿一下唇。

「沒什麼看頭吧。只是一群有錢的酒鬼盛裝談生意罷了。」我還是不想拿個遙不可及的東西令她垂涎三尺。也許等我一走，林登就會帶她出去見世面了。她一定會愛死巧克力噴泉，我也有預感得到總督的關注、建築師吻手示好、稱讚她人比花嬌，她會有多樂不可支。

「妳會幫我帶閃電泡芙嗎？」她問道。

「有的話一定幫妳帶。」

她握起我的手，她的手小而溫暖。小孩的手。在這竊走時間餘裕的世界，她迫不及待要擺脫稚氣；假如她有更多年可活，不知會變成什麼樣的人？我走了以後，她會不會成為繼任的大老婆？徹底蛻變成女人？不知怎地，我覺得自己辜負了她。目睹珍娜生命流逝就夠煎熬了，現在我居然還計畫離開我早已拋棄的姊妹妻。我很擔心，不知我走了會對她造成多大的衝擊。

我捏捏她的手。「還好嗎？」我問她。

「還好。謝謝。」我可以聽見她語氣裡的笑意。

我穿了件無肩帶的小禮服，水綠色微光閃爍，一邊用黑珍珠斜繡出朦朧的花樣煙火。一條黑珍珠短項鍊圈著我的咽喉，黑色內搭褲和手套能幫我抵禦一月的刺骨嚴寒。狄德麗的畫龍點睛之作，是繫在我頭髮上的黑色緞帶，它不僅修飾了滿天星，薄薄一層亮片也使我想起西西莉的婚紗。當時西西莉看起來雀躍不已，在我前面興奮地走向涼亭。

現在她往退一站，欣賞我的整套服裝。在妙手彩繪的大地色妝容下，她頓時看起來好成熟。她跟我一樣有頭髮髮，就算身穿皺巴巴的睡袍也不減明豔。「妳美呆了，今晚一定就屬妳最吸睛。」她說。

我沒說的是，無論有沒有打扮，我都無意參加這場晚宴。我寧願爬上床拿被子掩面痛哭。但這些不是大老婆該有的作為，況且狄德麗、阿戴爾、跟西西莉都盯著我瞧，於是我用母親只為父親保留的笑容嫣然一笑。

令我心驚的是，我竟能如此不費功夫地假裝喜歡這種人生、以及隨之而來的丈夫。

林登一襲簡約黑色晚禮服現身——我發現這是戶長們的標準服飾，不過他的翻領和我的禮服是相同的水綠色。我在金屬電梯門前瞥見我倆的倒影，只見夫妻手挽著手、郎才女貌。電梯門開了，我們往裡踏。

「好好玩！」西西莉說。

電梯門關上後，林登對我說：「她最近是不是有點怪怪的？」

我不知該如何回答，因為我也發現了西西莉的變化。早在珍娜過世前，她就出奇地愁悵。但我覺得原因或許出在沃恩老是把鮑文從她身邊帶走。天曉得他對他動了什麼手腳。新生兒是大戶人家尋求奇蹟解藥的實驗對象，這是眾所皆知的事；但沃恩總是遮遮掩掩，而鮑文又毫髮無傷。此外，我也想不出委婉的詞彙向林登表達：我認為他一開始讓這麼年幼的女孩懷孕，是自私也是不對的行為。或許我擔心的是他又會逼我和他生小孩。年紀十六歲的我已是個名副其實的老處女了。

「她只是累了，你該多幫她帶帶孩子。」我答道。

「我也想啊，夾在西西莉跟我爸之間，能記得親生兒子的長相就算我走運了。」

「林登，你覺得你爸帶著寶寶都在幹麼啊？」我斗膽一問。

「大概在檢查寶寶的心律、幫他抽血，確保他健康。」他聳聳肩。

「你覺得這樣正常嗎？」我問他。

「什麼叫作正常？第一代遲了二十年，直到他們兒女的生命一一凋零才意識到病毒蔓延。天曉得我們的孩子以後會發生什麼事？」他反問我。

他說得對。我盯著自己華麗的高跟鞋。我身穿華服的同時，這個世界正在分崩離析。我彷彿聽見珍娜在說：*別忘了妳怎麼來這兒的。千萬別忘。*

林登抓起我的手。我覺得在這種情況下，他和我一樣害怕。我對他淺淺一笑，他用肩膀撞我的肩，我笑逐顏開。「這樣好多了。」他說。

他在禮車上為我倆各倒一杯香檳，我沒飲畢，也沒讓他把酒喝完。「晚宴上酒多得是。」我說。

「妳講起話來好像真的當上大老婆了。」他笑著吻我的太陽穴。我不由自主地臉紅了。這是他頭一回大聲說出這三個字。大老婆。只會再當幾天，不過看在他的份上，我可以假裝長長久久。

「你覺得晚宴上會不會有人攝影？」我問道。

「到處都是。」接著他面露一絲愁容。「或許我該叫妳戴綠色隱形眼鏡出門才對，我不想讓全世界知道妳有多與眾不同。」他說。

我拉直他的領帶。「你是因為我的這雙眼才覺得我很特別？」

「不是的，那只是水面上的漣漪。」他說。他嗓音轉為輕柔夢幻，撥開我臉上的鬈髮。

我嫣然一笑，一度覺得這就是我爸對我媽的感覺，差點誓言這段婚姻不是虛構。倘若有陌生人經過，肯定以為我們在一起好多年了，以為我們打算攜手度過餘生。我是個撒謊高手，這點我早就知道了，只是我沒料到我會自欺欺人。

我們手挽著手步入晚宴，由於樂聲震耳欲聾，我倆才能掩人耳目地進場。晚宴的場地位於一間高級酒吧，分不同樓層，由一螺旋梯串連。最上頭的兩層由某種單向玻璃打造而成，所以只能看見樓下的賓客，卻見不著樓上是誰。我為此鬆了口氣，因為這意味著樓下的人抬頭也看不到我的裙底。第六感告訴我某些人想要一窺我的裙下風光。

才過約莫兩分鐘的時間，沃恩的一位同事便走向我們，他左擁右抱的是兩個褐髮妹，女孩拿著霓虹杯、咯咯竊笑，看起來沒比西西莉大到哪兒去。她倆穿著相稱的紫紅色禮服，只是禮服像是塑膠裹在她們骨瘦如柴的身上。在他的介紹下，我得知女孩是他的妻子——雙胞胎而且雙雙有孕在身——他吻我手時，兩位女子都以輕蔑的眼神瞪我。

「她們是忌妒妳的美貌。順便一提，妳美呆了。跟緊一點，免得別人把妳搶走了。」他們走後，林登對我低語。

對。一輩子被人搶走一次也就夠了。

不過我確實緊黏著他，因為這些男人我一個都信不過，而且跟我同齡的妻子們似乎大多醉了。這是一場新年後的晚宴，林登說到了午夜人們會重複新年倒數計時。我問他原因，他說：「誰知道呢？但這輩子也沒剩多少新年好過，再加幾個又何妨？」

「有道理。」我說，然後他把我拉向舞池。

慢舞我比較在行，反正幾乎不用怎麼動；但看一眼忽明忽暗的閃光燈，我就知道今晚不會播放慢歌。我努力跟上林登的腳步，他耐心帶著我跳，可是我滿腦子想的都是珍娜。她在颶風來襲前的那個午後，是怎麼教我和西西莉那些舞步的。就算她對林登沒有好感，也肯定會愛上這場晚宴。她在舞台旋繞起舞，將電死一堆人，眾生無不拜倒在她的石榴裙下。我好想一回家就和她分享晚宴的盛況，卻猛一想起她已不在人世。

我在林登懷裡一個下腰。考慮到他應酬的酒喝得很少，卻跳得這麼起勁，可見興致有多高昂。我一個起身，他便飛快在我唇上種下一吻。

「我可以插個隊嗎？」一個男人問道。或許「男人」這個詞不夠精準，因為他年紀沒比我大上多少。只見他身材矮胖，胡蘿蔔色的頭髮反照霓虹燈的虹彩。他蒼白的肌膚像是褪了色，教我幾乎無法辨別他的五官。他懷裡有個修長的金髮妹，一襲鮮紅色洋裝與她的唇色相配。她冷靜地上下打量林登。

林登猶豫不決地望著我。

「來嘛！一支舞就好。我們來換妻。」男人說。

林登邊說邊牽起紅衣女的手，把我交給紅髮男。「好吧，不過萊茵是我的寶貝，你可別放太多感情喲。」

我好想吐。這男人聞起來像是熟食拼盤各種肉類的噁心組合，而且酒也喝多了。他踩到我的黑鞋不只一次，在鞋面留下污穢的腳印。他個子矮到我的視線可以直接越過他頭頂，我望著男人的妻子和林登跳舞，彷彿這是她此生最歡樂的時光。跟清楚自己所作所為的丈夫在一起，她大概覺得很放心。只不過他不是她丈夫！他是我的。

想到這裡我腳步就停了下來。矮胖男迎頭撞向我的胸部，哈哈大笑。「寶貝，妳還真是笨手笨腳。」他說。但我幾乎聽不見他說的話。我的？不。林登不是我的。這全是逢場作戲。派對、鑰匙卡、大老婆的任務——全都虛幻如夢。再過幾天我跟蓋布利歐就要逃跑，這種生活只會成為模糊的記憶。我剛在想什麼？

我逼自己不去看林登和金髮妹，女方顯然很享受和與她同高的男人共舞。待跳完這支舞，我便隱身到甜點桌，趁好吃的點心被挑光前，為西西莉舀點閃電泡芙和巧克力迷你蛋糕。一位侍從說要幫我冷藏，等要離開再帶走。

我畏縮不前，凝望在混亂燈光下蠕動的軀體。紅的、綠的、藍的、白的、橙的。五彩繽紛的星星影像在牆上旋繞。我在這層玻璃板上飄浮。樓下有更多軀體、更多燈光、更多音樂震撼地板。在我注視一切的同時，也變得更賞識狄德麗的時尚品味。其他人妻大多像是把錫箔穿上身。淨是銀的、金屬粉紅、綠的、或淺藍色。六吋高的楔型厚底鞋、和誇張的珍珠項鍊，看上去有千斤重。大多數的女人濃妝豔抹，光打在臉上像是有放射性物質。她們的牙齒在發光。

幾位人妻把我拉進她們跳舞的圈圈，我也沒有反抗。這是讓攝影機捕捉我鏡頭的良機。起碼比跟她們的丈夫共舞要好，況且說老實話，這也挺好玩的。她們大多和我一樣對跳舞一竅不通。貴婦們的珠寶相擊哐啷作響，我們像是垂死般地抽搐；我們手牽著手，笑聲隱沒在音樂之中。託採花賊之故，我一向有理由恐懼新年慶典；我總是得擔心有人會闖進家門。不過我在這裡很安全，可以享受美食、華服、和音樂，可以竊笑自己笨拙的舞步。侍從們端的托盤擺了陣陣悸動的霓虹杯飲料，仍在舞動的我抓了一杯一飲而盡。酒精捎來的暖意傳達四肢。我不得不承認這場晚宴讓我好受多了。

不斷參加派對能帶來慰藉。無論是假的新年舞會還是落成典禮晚宴，主題都一樣：生命。及時行樂。

後來燈光停止閃爍、樂聲逐漸消逝，透過擴音器傳來的人聲說還有一分鐘就要午夜十二點了。人妻們全都急忙跑去找各自的丈夫，我獨自愣了幾秒，林登就抓住我的手腕，我感到他熟悉的胸膛貼著我的背。「原來妳在這兒，我找了妳一整晚。」他說。

「你的女友呢？」我忍不住脫口而出。

「啥？妳在說什麼？」

「沒事，我只是忘了你對金髮妞情有獨鍾。」我回話的同時，他將我轉向他。

「哦，她哦？她丈夫的爸爸是我合作的承包商。討好他應該能為我帶來好處。」他說。

「好吧。」我邊說邊望著牆上正在播放午夜倒數的巨型螢幕。二十……十九……

林登捏捏我的手說。我戴黑色手套的手正在流汗。「別生氣，我也不喜歡看妳跟他跳舞呀。其實音樂一停我就想跟妳道歉，只是那時妳人不知去向。」

十……九……

他抬起我的下頷，逼我與他四目相交。在這裡所有的總督和戶長中，我只讓他這樣碰我。無論喜歡與否，至少他很熟悉。就屬他最接近我海岸千萬哩遠的家鄉了。

「我情有獨鍾的金髮妞就只有妳。」他向我保證。他說得可憐兮兮，逗得我不得不笑，結果他也跟著笑了，並用雙手捧著我的臉。「我愛妳。」他說。

三……二……一。

他在假煙火和假星海中吻我。我倆一同喜迎假新年。在這虛幻的片刻，這麼做似乎很貼切，於是我脫口而出：「我也愛你。」

第二十四章

我們隔天清晨從新年晚宴返家，我臥房的窗戶透進一道霧濛濛的藍光。望向臥房走廊的彼端，可見西西莉的房門開著，也能聽見她的呼吸和她在綢緞床單裡移動身子的沙沙聲。她的房門旁是間空蕩蕩的臥室，沒有半點聲響。不知怎地，那沉默使我無法入眠。我輾轉反側了一會兒，就穿過走廊，走進珍娜的臥房。

房門嘎吱開啟。晨光下我看見她的床鋪得整整齊齊。她的其中一本羅曼史平裝書仍擱在床頭桌上。那是她唯一殘留人世的遺跡。從這頭我能看見她用糖果紙標註讀到的最後一頁。

就連她的氣味也消失了。那輕柔飄渺、綜合香水和乳液的香味，曾令侍從們臉紅心跳。但在她臨終的前幾天，阿戴爾為了使她呼吸順暢、在她胸口擦的大量藥膏卻把這香氛給蓋過了；只是如今連藥味皆已不復在。空無將她的腳步席捲，抹滅輪床把她屍體推走時的滾動痕跡。

我等待著。等她的鬼魂前來糾纏，等著聽她的聲音。蘿絲走了之後，我仍有好幾個月能在香橙園感到她的臨在。縱使那只是我一廂情願的想像，起碼也有東西可供聯想。但就算珍娜的靈魂仍存在世上，也不在此處徘徊。鏡中甚至不留她的影子。

我掀起被子、爬上她的床。床單聞起來是全新的，或許是吧，因為小紫花的白床單我沒見過。這也不是她的綢緞蓋被，不見被角的櫻桃汁污漬。她走了。除了那本平裝書，其餘不留一點痕跡。我永遠都無法得知那天午後她潛入沃恩的地下室，究竟發生了什麼事。她永遠不能和我一起逃跑、一起看海。她再也不能跳舞和呼吸。

我把臉埋在床墊裡，埋在她去世的躺臥之處，假裝她正用手指梳我頭髮。我費了好大的勁才清晰記起她的嗓音。

你們要逃離這裡，外面的世界一定很棒。

「好。」我對她說。

謝天謝地，過了一會兒我就陷入無夢的好眠。

這是我最後一個無夢之夜。此後我心裡總是惦記著蓋布利歐，他獨自一人待在我腳下的鬼地方。我想起搖曳的燈光把他肌膚照得灰白，以及他如吐出雲霧般的氣息。夜裡我閉上眼，夢見他在吊床上睡覺，我的姊妹妻則躺在他身旁的冰櫃。

我怕沃恩會發現我們的計畫，進而傷害他。把他殺人滅口。沃恩說他從林登出生的那天起就開始研究解藥，縱使我認為他一肚子壞水，這個說法我卻從未懷疑。我也相信他唯一在乎、願意搶救的，就是林登這條命。萬一無法及時醫治兒子，鮑文則是沃恩的備案。

某晚我作了場惡夢。跟他爸一樣高而纖瘦的鮑文吻著一位遲疑新娘的唇，新娘子就住在他媽以前的臥房。他輕訴愛語，她美豔毒辣，在背後手握利刃，等待良機結束他的性命。沒人警告他，也沒母親關愛他。他只認識沃恩，那老頭在地下室把林登開腸破肚，抓狂似地尋找解藥。而我呢？我早就嗚呼哀哉，和姊妹妻一塊冰凍且保存完好；我們死不瞑目、表情驚恐，手沒有相互觸碰。四個一排，睫毛結成冰柱。

什麼東西碰了我一下，我來不及止驚叫就已出口。心兒在胸口怦怦直跳，我馬上掙扎，想要脫離姊妹妻的屍體，急著要逃出沃恩的地下室。

「嘿。」有人輕聲細語。「噓——嘿，嘿。沒事的，妳只是作惡夢。」

我翻過身子，只見林登躺在我身邊的床上；在月光下我幾乎認不得他。他撥走我臉上的亂髮。「過來。」他邊說邊把我拉向他。我沒有抗拒，抓著他上衣的手抖個不停。他貼著我的臉頰很暖，融化了我夢中冰凍的肌膚。

我聽見走廊彼端寶寶打嗝、接著號啕大哭。我準備下床，但林登把我拉回原位。

「我得過去，是我不好，吵醒他了。」我說。

「妳在發抖欸，而且好像有點燒。是不是不舒服？」他拿手背貼我的前額。

「沒有不舒服。」我向他保證。

「待在床上，我去。」林登說。

只是我想去。我想證明鮑文還只是一個嬰兒，夢裡那個纖瘦男孩不是真的。至少還沒成真。我下了床，林登跟著我穿過走廊，來到西西莉的臥房。只見她蓬頭垢面、睡眼惺忪，正努力想要下床。

「我來就好，回去睡吧。」我輕聲說。

「不，妳不是他媽。我才是。」她說，還把向搖籃伸手的我推到一邊。她把鮑文抱在懷裡，寶寶還是抽抽噎噎、不時打嗝。她噓了他幾聲、溫柔地哼歌、往搖椅上坐。可是當她解開睡袍的前幾顆鈕扣，鮑文卻揮舞手腳，嗚咽地閃躲她的乳房。

林登來到我背後，一手環繞我的雙肩。「親愛的，也許我們該找奶媽。」他對西西莉說。

她雙眼噙淚望著他。「你敢。」她厲聲說道。「我才是他媽。他需要的是我。」她說話變了聲，把注意力轉回兒子身上。「鮑文，你聽話⋯⋯」

「我爸說在最初幾個禮拜，這些都屬正常現象，新生兒不輕易喝母乳的。」林登試著打圓場。

西西莉說：「他以前喝的，事情不太對勁。」她扣好睡袍並起身，把兒子抱在胸前來回踱步。這使他靜了下來，寶寶很快就睡著了。

「他只是還不餓。」我說。

西西莉不再說些什麼，只是把鮑文放回搖籃，彎腰吻他額頭。她沒看見我的夢境——她的兒子自幼喪母，成大成人後娶了個無意嫁他的新娘——但她是否也作過惡夢？她是否想過，想過一次都好，她只會占他生命極小的一部分，終有一天她對他來說只是一段朦朧記憶的紅髮、和琴鍵凝重優雅的和音？前提是他還記得她。

「我爸媽以前工作的實驗室裡就有育兒所。」我顧不得不讓林登探知我生活的原則，這麼對她說。反正這些話也不是對他說的。「那些寶寶全是孤兒，由於數量太多，有時無法得到一對一的照護。所以技術人員會播錄好的搖籃曲，哄寶寶別哭。不過，被抱著的寶寶似乎總是比較機敏，也比其他嬰兒更早會笑、更早伸手取物。」

我講話的同時，西西莉一直凝視搖籃，但如今她已抬頭看我。「什麼意思？」

「這大概表示寶寶懂得人的接觸，知道自己受到照顧。」

西西莉輕聲說：「我誰都不記得了，我是在孤兒院長大的，不記得有誰照顧過我。我只是希望他知道我是他媽、我人在這裡、會一直照顧他。」

「他知道的。」我輕聲回話，手臂環抱著她。

她搗嘴免得又哭出聲。西西莉一向情緒化，但生鮑文和失去珍娜接踵而至已使她不堪負荷、日漸憔悴。我一直希望林登能安慰她，這樣等我走了她就不會那麼難受；無奈有些時候他搆不著她內心深處，她的悲傷太無理取鬧或沉重到他無法理解。好比現在，她握住我手、緊緊抓牢，我們的丈夫只淪為門口的一道人影。

「好啦，妳該回去睡了。」她讓我領她回床上。我把被子在她周圍塞牢。她已閉上雙眼，總是這麼疲憊不堪。

「萊茵？對不起。」她說。

「對不起什麼？」我問她，但她已昏睡過去。

我轉身走向房門，發現林登人已走了。他八成在我努力撫慰西西莉的時候就悄悄溜走，擔心自己會為這場面雪上加霜。西西莉正逢為死去的珍娜哀傷，原本就脆弱敏感的脾氣則又變本加厲。她激烈的反應嚇著了他；我想這是因為她的哀傷使他想起失去蘿絲之痛。

我在門口站了一會兒，聆聽姊妹妻和她兒子規律的呼吸，在月光下幾乎看不見他倆的身形。恐怖的死亡意識在此刻向我席捲而來。不用多久，西西莉就會失去她僅剩的一位姊妹妻，在不到四年內又會失去丈夫。有朝一日，這層樓將只剩一間間空蕩蕩的臥房，連個和鮑文作伴的幽魂都沒有。

之後他也會與世長辭。

無論他媽有多愛他；愛不足以使任何人活命。

第二十五章

逃亡前的那個月，我成天待在戶外。地下仍有殘雪，我在香橙園漫步，或獨自一人打高爾夫球。一點一滴地，慢慢度過了那個月。

計畫逃亡的那天早上，我躺在彈簧墊上聽著彈簧圈隨著身體移動嘎吱作響。這是珍娜最愛待的地方，也是她專屬的島嶼。

西西莉就是在這兒找到我的，紛飛的雪花有些飄落在她的紅髮上。她說了聲：「嘿。」

「嘿。」

「我可以上來嗎？」她問道。我輕拍身旁的空位，於是她爬了上來。

「妳的小跟班呢？」我問她。

「沃恩戶長。」她略帶慍色地說。話不用多，點到即可。她坐在我身旁，雙臂圈著我的手肘，嘆了口氣。「現在怎辦？」她問我。

「不曉得。」我說。

「我真的沒料到她說走就走。」她脫口而出。「我以為她還有一年可活，到時候就有解藥啦，然後……」她話愈說愈小聲。我仰臥著凝望兩人的呼吸在冷空氣中隱沒。

「西西莉，沒有解藥這種東西。妳認清現實吧。」我說。

「別當自然主義的擁護者。沃恩戶長醫術高明、研究認真。他認為問題出在第一代的人類是由人工方式懷胎。所以如果是自然生產的寶寶，就能經由」——她頓了一下，努力回想詞彙，接著彷彿怕把它們弄破似地小心翼翼地唸出口——「外力介入而治癒。」

「才怪。」我冷笑道。我沒跟西西莉說我的父母奉獻一生尋找解藥，我很難相信沃恩跟他們一樣有相同的動機；也沒跟她說蘿絲被置於地下室的屍體，還有珍娜八成也在底下，鎖在冰櫃或被切成無法辨認的屍塊。

西西莉堅定地複述：「他會找到解藥的，非找到不可。」

我了解她為何不願面對現實。她親生兒子的性命還得仰賴沃恩不切實際的解藥，不過我可沒心情自欺欺人。我搖搖頭，望著雪花從白成一片的天空飛旋落地。只要你肯抬頭，世界似乎無比澄澈。

「非找到不可。」西西莉又說一遍。她移到我面前坐，臉擋住我賞雲的視線。「妳得待在這裡讓他把妳治好，我知道妳打主意想要逃跑。不要以為我被蒙在鼓裡。」她說。

「什麼？」我邊問邊坐直身子。

她用雙手抓住我的手，正經八百地湊到我面前。「妳跟那個侍從的事我一清二楚。我看過他吻妳。」

我想起當時走廊上的聲響。「原來是妳？」我說。我的聲音聽起來既陌生又遙遠，彷彿我在偷聽兩個陌生人的對話。

「他害妳無法專心盡人妻的義務。我覺得只要把他弄走，妳就會發現林登是個多好的丈夫，腦袋也會比較清楚。結果妳真的做到了，不是嗎？在派對上玩得多開心？」

突然我連呼吸都痛。「是妳向沃恩戶長告的密。」

「我這麼做也是為妳好，我跟他只是為了妳的最佳利益著想。所以沃恩戶長才把那個侍從調到府邸別處。」她堅持己見，捏著我的手說。

我甩開她的手，想要退後，想要離她遠遠的，但不知怎地動彈不得。「妳還跟他說了什麼？」

「我知道的比妳透露的多，妳跟珍娜搞小團體，就是不讓我參加。妳們總是啥也不肯告訴我，但妳要知道，我可不是傻子。我知道她幫妳製造機會和那侍從見面。這麼做是不對的。妳不明白嗎？林登愛妳，妳也愛他！他對我們這麼好，沃恩戶長又即將找到解藥，我們會在這裡待到天荒地老。」

她的話好似雪花片片落在我周圍，只不過數量和強度皆乘以數倍。我抓狂似地倒抽一口霧濛濛的氣。她就像是條冷冰冰的死魚，妳說對吧？假如有我置喙的餘地，我們會直接把她扔回水裡。「妳知道妳幹了什麼好事嗎？」我問她。

「我是在幫妳！」她吼道。

「妳把她害死了！」我對她回吼。我用掌根抵著雙眼，好想放聲尖叫，好想幹一堆我會後悔的事，所以只好那樣枯坐許久，試著歇口氣。

但我總不能永遠不給回應吧，因為西西莉連珠砲地問我：「什麼？」、「什麼意思？」，以及「妳在說什麼？」

最後我終於受夠了。「妳把珍娜害死了！我就是這個意思！妳跟沃恩戶長打小報告，說她好管閒事，結果他索性把她殺了！我不知他用什麼方式，但人是他殺的沒錯！他一直在找理由置她於死，妳卻把理由雙手奉上。蓋布利歐也被孤伶伶地關在那間……恐怖的地下室，這全都是妳的錯。」

西西莉的那雙褐眼由最初的不可置信轉為恐懼，看得出來她很想否認我說的話。她迴避目光，堅定地點著頭說：「不，珍娜是受病毒感染而已，而……」

「珍娜只有十九歲，不到一個禮拜就死了。反觀蘿絲還撐了好幾個月。假如妳的沃恩戶長醫術真有那麼了得，妳倒是說說看，在他的照顧之下她怎麼走得那麼快？」我說。

「每……每個病例都不一樣啊。」她開始結巴了，接著說了聲：「等等！妳要去哪裡？」因為我再也不願多看西西莉一眼，索性跳到地面、拔腿就跑。我雖然不知要往哪兒跑，她卻緊跟在後。我聽見她鞋子嘎扎作響地踏過雪地。她設法追上我並抓住我的胳臂，我用力推她一把，害她跌進雪堆。

「妳跟他一樣！妳跟他一樣是個禽獸，妳的寶寶長大以後也是壞胚子！不過妳連看他長大的機會都沒有，因為再過六年妳就要回老家了。等妳翹辮子、林登兩腿一伸，鮑文就會成為沃恩戶長的新玩具。」我說。

她噙淚的雙眼泛紅，搖著頭說：「不是的，不是的」和「妳搞錯了。」但我是對的，這她心裡有數。她的懊悔溢於言表。我在可能失控對她做出不智之舉前，奔離她的身邊。我狂奔的同時，聽見她野蠻地、血淋淋地嘶吼我的名字，像是慘遭謀殺一樣，或許她正被謀殺。只是很緩慢，要花六年的時間才會死。

我待在林登府邸的最後一天。確切來說應該是沃恩的府邸。他是打造這座府邸的幕後推手，林登和他的新娘一樣只是人質。倘若我能保持最初對林登的恨意，就能頭也不回、不帶懸念地逃離他的專橫暴行。但我知道，在我內心深處他不是個壞人，而我最起碼能做的就是向他道別。明早他起床後，我就不在了。他會以為我死了，然後撒我的骨灰。又或許西西莉會把它收入花瓶，擺在珍娜骨灰旁珍藏。

西西莉。我碩果僅存的姊妹妻。接下來的午後我千方百計地躲她，但其實我用不著這麼費事。她自己隱遁，就連晚餐也不下來吃；想當然，林登開始為多餐未進食的她操心。他想知道我最近是否發現她有任何異常之舉，我說就這個情況而言，她的表現已算可圈可點。林登無法理解他的妻子為何會對珍娜的辭世如此悲痛，他無法真正理解。所以我拿它當西西莉行為異常的藉口時，林登就噤聲不語。

林登對珍娜的了解甚少，而我再也不認為沃恩擄來三位新娘是為了兒子好。我覺得他只是想為研究解藥之路多找一具屍體。珍娜可以用完即丟。西西莉是製造寶寶的工廠。我則該成為他的心上人。

晚餐後，八點左右，我呼叫狄德麗幫我放甘菊洗澡水。她看起來鬱鬱寡歡。珍娜死後，阿戴爾被送到拍賣會交易，所以失去朋友的不只是我。不過狄德麗保持忙碌，在我泡澡的時候不斷整理再整理我梳妝台上的化妝品。不曉得我走了之後她會怎樣，會不會被賣到另一棟府邸。或許她會調去當鮑文的保姆。她年紀比西西莉小一點，起碼可以活到他長至青少年。或許她有辦法哄他不哭，也一定能轉告他這世上的美好事物，好比她爸畫筆下的沙灘。

「過來陪我聊聊天。」我說。她往浴缸邊上一坐，對我強顏歡笑，但妻妾樓一片愁雲慘霧已向她蔓延。

我在想能跟她說些什麼。不用明講再會地向她告別；但出其不意的是，她竟開口先說：「妳就是這麼與眾不同，對吧？」

「嗯？」我哼了一聲。

我頭倚著浴缸邊上捲好的一條毛巾，狄德麗開始幫我的濕髮綁辮子，說：「我是指妳的氣質，妳……就像是一支畫筆。」

我睜開眼。「什麼意思？」

「這是讚美啦！妳來了之後喜事也紛紛降臨。」她作畫般地揮舞著手，「一掃陰霾。」「這在開我玩笑吧。蓋布利歐被關在地下室，珍娜也撒手人寰。「我不懂妳意思。」我說。

「總督變得堅強、快樂多了。以前他是那麼弱不禁風。情況也全都……好轉了。」

雖然我還是不懂，卻能從語氣判別她是認真的，於是對她微微一笑。

是這樣嗎？我不曉得。我回想自己從晚宴回家的路上所說過的話，哄他等水溫回升進池裡游泳。或許正如狄德麗所言，這麼做能讓他開心。看來我得把它加入我的承諾跳票清單，與答應照顧他的承諾並列。但蘿絲請我照顧他的時候，並沒有考慮到西西莉。其實她和林登才更登對。西西莉對他忠誠到不惜向沃恩揭露我和珍娜的祕密，而且這麼渴望懷他的小孩，他倆又對外界無所覺到誇張的境界，也許就是這樣才相配。一對關在籠裡的愛侶。我不適合林登。我滿腦子想的都是地圖集。那假使我長得像蘿絲呢？問題在於我不是她，何況即使是她，最終也得與他分離。

「準備出來了嗎？」她問我。

「對。」我說。我穿上睡袍的同時，她開始幫我拉開床罩；不過我坐在躺椅上說：「可不可以幫我化妝？」

「現在嗎？」她問我。

我點點頭。

這是她最後一次為我施展魔法。

我呼叫一位侍從，請他幫我找林登。幾分鐘過後，林登就出現在我的門口。「妳在找我？」他說。他準備多說什麼，但看見我便打住不說，只因我臉上擦脂抹粉，頭髮自然垂放，既沒上髮膠也沒精心裝飾，呈現它的自然原貌。我身穿狄德麗織的、蓬鬆如雲的針織衫，和如波浪翻騰且黑鑽閃耀的黑裙。

「妳看起來好美。」他說。

「我只是想到都沒去過遊廊。」我說。

他對我伸出臂彎，「那走吧。」

遊廊位於一樓，過了不常使用的舞廳就到。廳裡的桌椅全都用布罩著，彷彿幽魂在辦完盛宴後在此沉睡。我們手勾著手，在黑暗的舞廳中穿行，於一扇玻璃拉門前停下腳步。在深黑夜空的襯托下，白雪好似百萬片破碎的星星猛烈狂下，令人目眩神迷。

「出去可能太冷了。」他說。

「說什麼傻話？今晚夜色很美。」我說。

遊廊是個面向香橙園的簡單陽台，擺著情人椅和幾張籐椅。林登掃去積雪，和我一同坐在情人椅上。大雪在我倆周圍紛飛，這是我們同一回這麼久沒講話。

「你想她我不會吃醋的，她是你一生所愛。」我說。

「但不是我唯一所愛。」他邊說邊用雙臂將我圍繞。我可以聞到他外套冷冰冰的毛線味。我們賞了一會兒雪，然後他說：「我這麼常想她，感覺怪怪的。」

「你本來就該想起她，每天想。但不該在別處尋找她的蹤跡，因為這樣是找不著的。你會看見她在擁擠的街上走遠，伸手去抓卻發現轉頭過來的人並不是她。」我說。

父母去世之後，不知有多少個月我都這樣尋尋覓覓。林登專注地望著我，我往他胸前彈了一下指頭。「把她放在心裡就好，可以嗎？只有在這兒，你才永遠都能找到她。」

他對我綻露笑顏，我一度看見他金牙閃爍。初次見到他時，我以為金牙是權勢和地位的象徵，沒想到那只是傷痕，體弱多病的小男孩因病感染而掉齒的結果。他一點都不兇惡。

「妳好像對失去有很多領悟。」他說。

「略知一二。」我邊說邊把頭靠在他肩上。他的脖子散發體熱和飄渺的肥皂清香。

「我還是不知道妳打哪兒來的，有時候我覺得妳根本是從天而降。」他說。

「有時候我也這麼覺得。」我說。

他與我十指交扣。透過我們相稱的白色手套，我依稀可以感覺他的脈搏。我們的手看似會騙人，實則不然。它們看上去宛若夫妻的手；你能看見我婚戒的痕跡。還有我們緊扣雙手的樣子，像是他想把我抓得更牢。

但從十指交纏的手卻看不出此刻的終結。我們很快就不會碰觸彼此，不會參加另一場晚宴、生寶寶，或在同樣的折磨中共赴黃泉。

我們會同時在同一條海岸線上各自的住處死去嗎？但願屆時西西莉會把他的頭擱在她大

腿上。但願她會為他朗讀，說些好聽的話。但願屆時他已將我遺忘並找到平靜。

但願沃恩並非我想的那麼冷酷無情，他能將兒子的屍體毫不毀損地交出，完整地送去燒成骨灰，之後撒在香橙園內。

至於我，則盡量不對自己日後的死亡多作揣想。我只知道，我想回曼哈頓的老家，和我的哥哥在父母留下的房子裡度過餘生。或許身邊會多了個蓋布利歐。我會盡可能把我對這個世界的認識傳授給他，好讓他有辦法自食其力，也許在海口找份工作，這麼一來我死後他也能有事可做。

「寶貝，怎麼啦？」林登開口我才發現自己熱淚盈眶。戶外冰天凍地，不知淚水怎沒結冰。

「沒什麼，只是想到來日無多。」我說。

他看我的眼神像是先前問我對他房屋設計有何想法，像是想把自己投射在我心上。他想要理解，也想被人理解。

如果轉換時空，不曉得我們對彼此而言又會是誰。

後來我才驚覺這個疑惑有多荒謬。如果換了時空，我就不會被擄來當他的新娘，他也不會受困於這座大宅。他會成為一位遠近馳名的建築師，而我或許會住在他所設計的一棟房屋、建立真正的婚姻、孩子過著幸福長壽的生活。

我笑著試圖表示安慰，並捏捏他的手。「我想的是，人們待在你設計精緻的房屋時間少得可憐。」

他把額頭貼著我的太陽穴，闔上雙眼。「等天氣暖和了，我帶妳看其中一些房間。」他說。「看看人帶來的改變，實在很奇妙，寵物、鞦韆、和生命的痕跡。有時候光是這些就足以使人忘憂。」

「林登，我很樂意。」我說。

之後我倆便陷入沉默。我任他用雙臂將我緊摟。面對風雪和寒意，他撐不了多久就帶我回臥房。這是我們最後一次接吻，他冰冰的鼻子與我相碰。

「寶貝，晚安。」他說。

「寶貝，晚安。」我回道。一切是這麼輕鬆、這麼無害，他什麼也沒察覺。電梯門在我倆之間關上，他就此在我的世界消失。

西西莉的房門半開半掩，我看見她坐在臥室的搖椅上。她已解開睡袍，正在餵鮑文母乳，可是寶寶揮舞四肢、不停嗚咽。「你聽話，喝媽媽的奶。」她低聲啜泣。但他說什麼都不願喝。沃恩說雇了奶媽是騙人的。我看過他餵鮑文喝奶瓶，一旦寶寶嚐過甜味的奶粉，肯定不會再接受母乳。我記得爸媽在實驗室工作時，曾對我這麼說。西西莉毫不知情。沃恩正慢慢把她兒子從身邊奪走，開始用掌控自己兒子的方式操縱他。沃恩要讓西西莉以為她的親生兒子不愛她。

我在走廊凝望著她，駐足許久。原本興高采烈的小新娘變得如此蒼白憔悴。我想起那天她躍下跳水板，和我游過熱帶水域，伸手去摸虛構的海星。那是我對她最美好的回憶，卻也只是個幻象。

不，或許那不是最美好的回憶。最美好的應屬是我臥病在床時，她把百合花帶來我的臥房。

我想不出該怎麼跟她告別。最終只好悄悄地走，一如我悄悄地來，把她留在她迫切擁有的人生。我知道，終有一天我將不再恨她。我知道她只是個孩子，一個天真無邪的小傻妹，成了沃恩謊言下的受害者。可是當我望著她，卻只看見地下室裡珍娜冷冰冰的屍體蓋著屍布、等著被開腸破肚。這是西西莉的錯。我不能原諒她。

我的最後一站是珍娜的臥房。我在她的門口駐足好久好久，望著物品的擺設。梳妝台上的刷具可能屬於任何人；放眼望去，只有她從侍從那兒偷來的打火機是她的，因為根本沒人注意到它的存在。我拾起打火機，放進口袋。我要留著她的小小紀念品，其餘的東西沒有任何情感價值。換了床單、清潔乾淨、鋪好床，像是期待她回來，頭躺在枕頭上休息。她不會回來了，不過可能很快有別的女孩填補。

這裡沒啥值得告別的。少了那個舞姿婀娜的女孩、少了那個淘氣的笑容。她走了，跟她的姊妹掙脫束縛逃走了。倘若此刻她在這裡，肯定會說：「走吧。」

她床頭桌上的時鐘告訴我現在是九點五十分。彷彿她在推我出門。

我沒有道別。就這麼走了。

第二十六章

我搭電梯到一樓，大剌剌地穿過廚房，以為那裡空無一人。豈知手一擱在門把上，就聽見人聲：「這天氣散步有點嫌冷對吧？」

我猛一轉身，只見主廚從走廊現身，撥開臉上油膩的頭髮。

「只是想出去走走，我失眠。」我說。

「不過金髮妹呀，出門要小心喲，風雪這麼大，出去走走，迷路可能永遠回不來了。」她臉上泛起一抹詭祕的微笑，「沒有人樂見這種事發生，對吧？」

「當然囉。」我小心翼翼地回話。她究竟知道些什麼？

「這個嘛，以防萬一，這個給妳保暖。」她走近之後我發現她手裡拿著保溫瓶，瓶身熱到她塞進我手裡，隔了層手套我都感覺它的暖意。

「謝謝。」我說。

她為我開門，在我肩上拍了幾下。「小心啊，外頭很冷。」她說。

我步出門外，轉身想再次向她道謝，她卻已把門關上。

雪積得更厚了。為了努力掩飾足跡，我在雪地跋涉就更加費時。等離主屋夠遠了，我便開始輕聲呼喚蓋布利歐，無奈疾風淹沒了我的嗓音。彷彿颶風再次侵襲，只是這回換成了風雪。我步履蹣跚地撞到樹上，一邊走一邊沿著樹林外圍摸索去路，愈加扯開嗓門呼喚他的名字。最後我找到投影幻象，伸手摸樹結果直接穿了過去。這時已離主屋夠遠，我可以高聲叫他。

「蓋布利歐！蓋布利歐！」

可是他沒有來，等多久還是沒來。我知道事不宜遲，馬上就得拿定主意。要嘛不管他自己奔向海邊，要嘛返回紛亂的風雪找他。雖然蓋布利歐沒駕過船，但他是我認識的人當中最了解船的，而我對船又幾乎一無所知。最重要的是，我怕拋下蓋布利歐，沃恩會對他不利。沃恩會猜到蓋布利歐助我逃跑。就這麼辦了。就在我發現沒有他我哪兒也不去、我非得回去找他的同時，有人抓住我的手腕。

「萊茵。」

我身子一轉便迎頭撞進他懷裡。這是他在另一場風暴中再一次將我緊緊抓牢。在他消失的整整一個月中，發生了什麼恐怖的事，我有好多想要向他傾訴；可是十萬火急，沒時間了。風勢轉強，我們已聽不清彼此說的話，只好牽起手，開始奔入黑暗。

風聲好似人聲。聽起來像是我爸媽在笑、羅恩叫我起床守夜、西西莉的寶寶在哭，以及林登說我愛妳。我沒有駐足聆聽，也沒有回應。但有時我們會被樹枝或雪堤絆倒，再拉彼此重新站穩腳步。怎樣都攔不住我們。最後我們一路跑到大門，而它也不負所望地上了鎖。

雖有控制面板，但我的鑰匙卡卻刷不開。難道我真以為這樣就開得了？「現在怎辦？」蓋布利歐不畏狂風對我吼道。我開始沿著柵欄走，尋找它的盡頭，可是馬上就發現它擺明了無邊無際，肯定是繞著這塊土地圍成寬數英哩的圓圈。

現在怎辦？

我不知道。我不知道。

差之毫釐就能脫逃。我的手能伸出欄杆，接觸自由的空氣，而且幾乎能抓著彼端的樹枝。我發狂似地檢視環境。樹我爬不上去，樹枝太高，柵欄又太冰。我試著攀爬鐵欄杆，無奈怎麼也爬不上去。我屢敗屢試，最後蓋布利歐硬是抓住我、不讓我爬。他解開羊毛外套，把我摟在懷裡，用外套裹住我倆。我們靠著一處雪堤跪倒在地，我大概能猜到他想跟我說什麼。沒有出路，我倆會被凍死。

但我沒有颶風那晚大限將至的感受。當晚我知道自己必死無疑，但冥冥之中有什麼叫我繼續前進、繼續前進，等我爬上燈塔便見著出口。我不信它不具任何預示意義。

我感覺蓋布利歐在吻我的額頭，但連他平常溫熱的雙唇都已冷卻。我往回縮一點，把他的衣領在耳朵周圍拉挺。他將雙手伸進我的頭髮，靠著我脖子的兩側，我倆就這樣為彼此取暖。

我從口袋取出珍娜的打火機，只是在疾風下難以把火點著。我得蠕動身子，掙脫蓋布利歐的外套；而他把雙手拱成杯狀，圍著火焰不讓風給吹熄。這使我想起我在林登的書房讀過一個故事，故事裡垂死的小女孩點火柴取暖，每一束新的小火苗都為她帶來過往不同的回憶。可是如今我的回憶只有珍娜，她散發光熱的微弱生命在我們手中搖曳。這是黑暗中唯一的一點光明，而我恨不得放火把這裡燒了。眼睜睜地看它像那些醜陋的窗簾陷入火海。點燃一棵樹，看著野火將整片樹林吞噬。我莫名覺得這場暴風雪是沃恩帶來的。我怕到了明早他會發現我跟蓋布利歐凍僵的屍體，所以拚了命地要阻絕我們的去路。

不能這樣。我不能讓他稱心如意。

在我考慮試著點燃其中一棵樹的當下，風中傳來人聲。我以為又是自己幻聽，但蓋布利歐也在張望。只看出有個人影往我們的微弱光源跑來。

我連忙起身，也把蓋布利歐拉起來。沃恩來了。沃恩要來殺人滅口，或者更糟的話，要把我們拖去地下室嚴刑拷打並肢解，將我們綁在手術台上，和蘿絲與珍娜的屍體為鄰。我準備逃跑，但蓋布利歐將我攔下。男人漸漸靠近，結果他根本不是沃恩。

他是那個神經兮兮、取代蓋布利歐職務的侍從。說我心地善良、叫我打開餐巾找六月豆的侍從。

他在頭頂揮舞著什麼。鑰匙卡。他的嘴巴在動；但風強雪勁，我聽不到他在說什麼。於是我跟蓋布利歐只在一旁看他拿鑰匙卡刷過控制面板。大門猛拉一下，使勁推開積雪，但終究還是開了。

我只是愣在原地，久久不知該如何是好，不知是否該相信得償宿願。不知怎地，我還是覺得沃恩會從樹後蹦出來，給我們一槍什麼的。

但侍從只是招手要我們過去，他好像在說：「快走呀，快走！」

「為什麼？」我問道。我向他走近，好把他的話聽個仔細。我對著強風扯開嗓門。「你為什麼要幫我們？你怎麼知道我們在這兒？」

「妳的姊妹妻叫我來幫妳，那個年紀最小的，紅頭髮的。」他說。

第二十七章

我們像是跑了一整夜。彷彿世界終結，地球上只剩下這條路、這片樹林、和飄雪的黑暗大地。我們停下腳步喘氣，可是凜冽的空氣對我們快斷氣的肺來說慰藉不大。我們又冷又累，而狂風依舊肆虐。

我在書房讀過一本名叫《但丁地獄之旅》的書，書裡提到來世有好多層叫作地獄的地方。有對愛侶被關在其中一層，他們因在人世通姦而受懲罰，困在地獄的暴風中，不能說話、聽不見彼此的聲音、也休想得到片刻安寧。

我不免心想，我們不就是這樣？但感傷的是，我們從沒機會成為愛侶。我們一個是奴僕，一個是不願嫁人的新娘，得不到半刻自由去探索我倆對彼此的感覺。在狄德麗針織的手套底下，我甚至還戴著婚戒。

等離鐵門夠遠，我們腳步放緩、慢慢步行。我不懂這條路怎麼如此漫長。搭禮車的話，不消幾分鐘就到底了。我跟蓋布利歐是不是轉錯彎了？雪下得太大，我甚至不能確定腳底下走的究竟是不是馬路。就在我心灰意冷，斷定世界終結、我們困在自己的那層地獄之際，沒想到竟見到光亮。我聽見車子的轆轆聲，接著看見一輛黃色大卡車呼嘯而過，沿著市區街道上鏟雪。

我們辦到了。我們逃出來了。彷彿帷幔剛從我們面前拉開，光亮和樓房全都映入眼簾。眼前有更多鏟雪車，還有一些人在街燈下漫步。電影院的招牌強打廣告，說要整夜播放殭屍電影。

在我們身處不毛之地、猜想必死無疑的同時，世界竟在幾哩之外平靜地運作。我有點歇斯底里地笑了，並搖晃蓋布利歐，邊指邊說：「你看。看到你錯過什麼了吧？」

他反問我：「什麼是殭屍？」

「不知道。不過我們會找到答案的。現在我們想做什麼都行。」

我們走進電影院，室內暖和，聞起來有熱奶油和地毯清潔劑的氣味。我們兩人都身無分文。就算我打算偷點錢，也不知該去哪兒找。住在大宅中根本沒必要用錢；就連林登也不會帶著錢到處走。

不過電影院裡人山人海，我們得以神不知鬼不覺地溜進其中一廳。我倆在陌生人的圍繞下相互依偎。我們是無名氏，正因為沒人認識才安全。電影情節驚恐，特效做得低俗愚蠢，我頓時感到一陣欣喜。「曼哈頓就是這樣。」我對他低語道。

「住曼哈頓的人都會爬出墓穴？」

「不是啦。他們會付錢看這種電影。」

殭屍片馬拉松播一整晚，怪片一部接著一部強力放送。我時睡時醒。我失去時間概念，不知究竟是白天或黑夜。我在潛意識裡聽見尖叫和咆哮，但理智告訴我那些駭人的聲音都是假的。我在這裡很安全。蓋布利歐緊握著我的手。他不知拂掠我的婚戒多久我才醒過來。如今它已失去意義；就算我曾是林登．艾許比的妻子，現在也擺脫那個身分了。過往的教育總讓我相信，兩個人倘若真要結婚，新娘總該有機會為自己唸婚誓。

「我其實姓艾勒里。」我睡意闌珊地說。

「我連自己姓什麼都不知道。」蓋布利歐說。

「那你應該幫自己取一個。」我說。

他笑了笑，他那靦腆、露齒的燦爛笑容又出現了。閃爍的白色螢幕刷亮他的臉，我一轉頭才發現電影演完了，我們周圍的座椅都空了。「你怎麼不叫醒我？」我問道。

「妳睡覺的樣子好可愛。」他說。他思忖著望了我一會兒，然後傾身向前吻我。

那是美妙至極的一吻，我們誰也不用顧忌敞開的門。他抬起我的下頜，我用雙臂慢慢摟住他的脖子，我倆就這樣沉浸在閃光的黑暗、和空蕩蕩的椅子海，這次是千真萬確地自由了。

讓我倆分開的是嘎吱作響的推門聲，一位影城員工——拿著掃把的第一代——說：

「嘿，電影都放完啦。回家。」

我望著蓋布利歐。「要走了嗎？」我問道。

「走去哪兒？」

「當然是回家囉。」

返家的路千萬里，該怎麼回去我毫無概念。家裡沒有電話，所以無法打給羅恩向他報平安。但只要一出佛羅里達，我就要找公共電話打去他之前上班的工廠，我最後一次見到他時，他還在那裡工作，很有可能現在還待在那裡。我得堅守這個信念，不管沉甸甸的直覺跟我說他已離職，為了找我消失在茫茫人海。

戶外的城市介於沉睡與甦醒稍縱即變的朦朧地帶。陰陰沉沉，卻又不是全然寂靜。路上還是有往來的車輛和忙著清理融成融雪爛泥的鏟雪車，只是沒那麼活躍，也少了點急迫。天空漸漸染上紅粉與黃暈，我知道時間不多了。天快要破曉，沃恩將會發現我跟蓋布利歐不見了。如果他還沒發現，如果西西莉設法掩護我們的話。

西西莉。昨晚她派那位侍從幫我們脫逃。我不信。我怎麼能相信？但話說回來，路上也不見閃燈的警車追捕我們。沒人瘋狂追殺。我跟蓋布利歐站在這裡，手牽著手，凝視這座平靜的城市。

她為什麼要幫我？昨天下午在彈簧墊上，她用了「幫」這個字。她哭喊著說：*我是在幫妳*。當她察覺這其實在害我，稚嫩的臉龐流露無限恐懼。

「現在怎麼辦？」蓋布利歐這一問把我拉回現實。

「走吧。」我邊說邊拉他在人行道上走。大顆的鹽在我們鞋底嘎吱作響。至少有十幾人和我們擦肩而過，一兩位點頭問候，但大多數把我們當作空氣。我們只是穿羊毛外套、走在回家路上的兩個普通人。

我們設法來到海港，近距離和從禮車上遠望的感覺不同。近看它更顯活潑。我們可以真實地聞到鹽味、聽見海浪翻攪和船隻輕撞碼頭的聲音。我迫不及待要出發，趁被人發現之前找艘值得偷的船；但我看見蓋布利歐敬畏的面容，便不急著催他。那是種困惑的喜悅。

「這跟你印象中的一樣嗎？」我問他。

「我……」他哽咽道：「我以為我記得海長得什麼樣子，看來我根本忘得一乾二淨。」

我羞怯地貼著他，他一手摟著我，興奮地捏我一下。

「有辦法開船帶我們離開這個地方嗎？」我說。

「哦，沒問題。」

「你確定？」我又問道。

「這個嘛，出錯的話，我倆大概會死翹翹吧。」

我輕笑幾聲，「我無所謂。」

沒時間雞蛋裡挑骨頭了。我讓蓋布利歐作主選船，畢竟他是專家。雖然他只看過圖片，而且真船的型號比林登書房收藏的圖書新穎得多，但怎麼說他都比我在行。我們上了一艘有室內操控板的漁船——專有名稱為何我不確定，蓋布利歐也沒時間解釋——總之我們不用在戶外吹冷風。我沒料到解開纜繩出航竟是如此容易。縱使蓋布利歐對新型號很陌生，他的機敏卻教我嘆為觀止。我想幫忙，豈料愈幫愈忙，最後他要我負責把風就好。這我做得來。

我們就這樣出海了。蓋布利歐操縱駕駛盤的模樣正經八百，好似大權在握，跟在妻妾樓推午餐餐車、唯唯諾諾的小侍從形成強烈對比。他望著地平線，一雙碧眼宛若大海，我知道他說得對，這是他的天命。說不定他的父母以前是水手。又或許人類自然且無拘無束的一百年前，他的祖先就是這個樣子。

我們終於自由了，我有好多話要對他說。他想必也有話要對我說。但這些話可以暫緩一下。我保持距離，站著欣賞他的英姿，許他這一刻好好享受，也讓他的巧手領我們航向永遠，橫越沉沒的大陸，直到佛羅里達消失。像被吞沒一般地消失。

我心想，或許最後我們會把船開到狄德麗爸爸畫的那片沙灘。或許我們會觸摸到真正的海星，可以把牠捧在掌心，不怕牠抓不穩握不牢。不管怎樣我們得找到地方靠岸。我們得停下來問人怎麼去曼哈頓，不過前提是停在一個沒人認識我們的地方；在那裡，我不是林登・艾許比的新娘，他也不是侍從，沒有人聽過沃恩・艾許比和他腹地遼闊的豪宅。我們沿著海岸線前行，風勢也已開始轉強。

蓋布利歐環抱著我，我和他頭靠頭，感覺方向盤的堅固耐用。「妳看。」他對我耳裡說。

我看到遠方有座燈塔。燈光刷過我們、繼續旋繞。然而這回我不知道光會將我們領向何方。

LOCUS

LOCUS

LOCUS

LOCUS